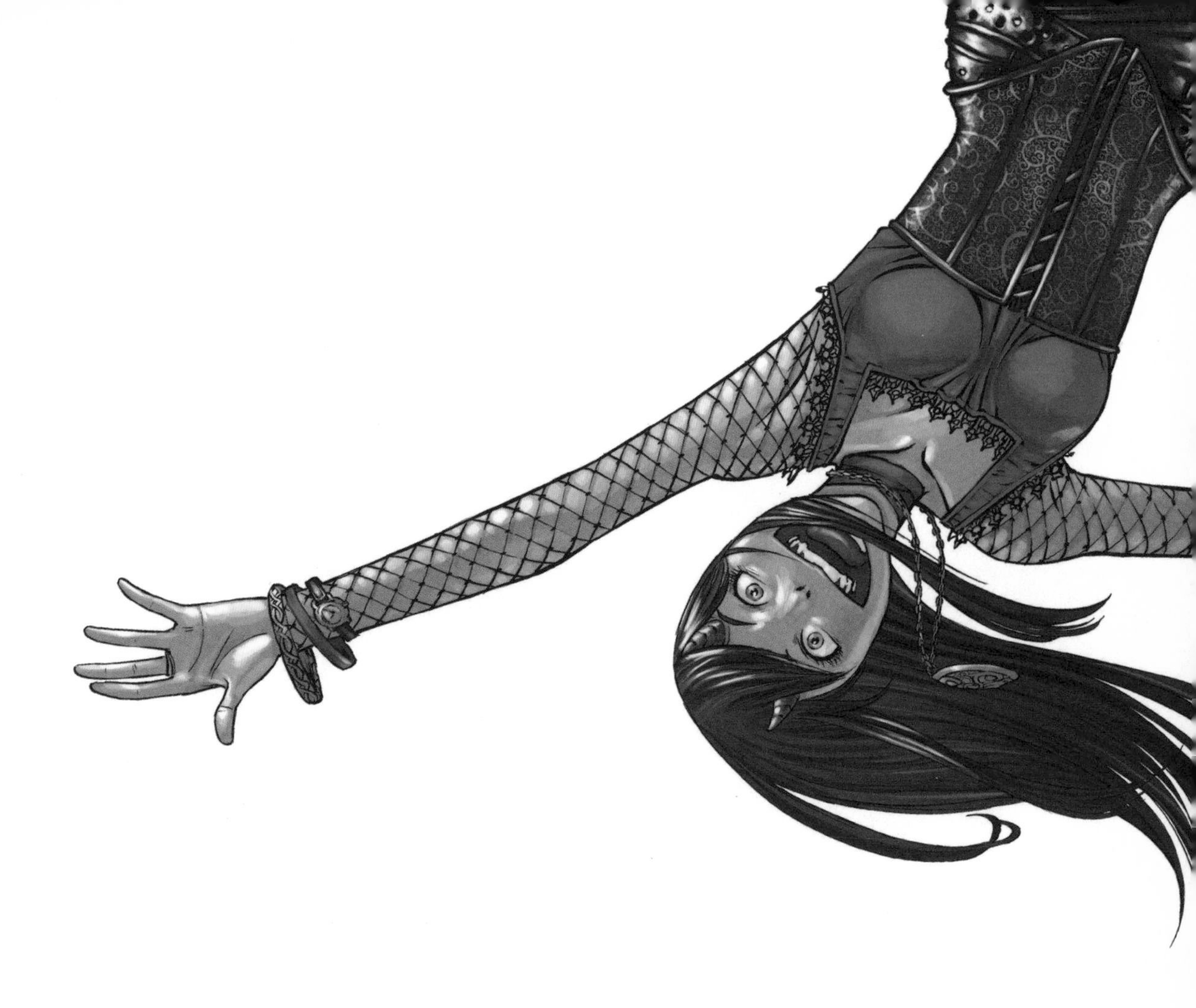

D1266338

Scénario, dessin et couleur :

Florent Maudoux

Sommaire

ankama

Première édition
Dépôt légal : juillet 2008
11e tirage : juillet 2019
ISBN : 978-2-916739-36-6
Imprimé par L.E.G.O. S.p.A. (Italie)

VOICI EN DIRECT DE LA CHAINE WK9 L'ARRESTATION DU CÉLÈBRE BANDIT, GEORGES "FOUTRE-DIEU" MÉZIÈRE AINSI QUE DE L'INTÉGRALITÉ DE SON GANG.
ILS ONT ÉTÉ PRIS ALORS QU'ILS ESSAYAIENT DE DÉVALISER LA BIJOUTERIE VANDÔME.

LA BANDE EST CÉLÈBRE DANS LE MILIEU, ON VA POUVOIR FAIRE TOMBER QUELQUES GROSSES TÊTES DE LA PÈGRE GRÂCE À CE QU'ILS SAVENT.
J'AURAI VOTRE PEAU, FOUTRE-DIEU !

UN TEL COUP DE FILET EST UNE AUBAINE, MAIS NOUS N'AURIONS RIEN PU FAIRE SANS L'AIDE PROVIDENTIELLE DE CAPTAIN BARBELL ET DE SON GROUPE !

ILS ONT IMMOBILISÉ LE VÉHICULE DES BANDITS ALORS QUE CES DERNIERS TENTAIENT DE S'ENFUIR.
OÙ VOULEZ-VOUS QUE JE DÉPOSE ÇA ?
CAPTAIN BARBELL, MEGAJOULE ET PUMA. AU NOM DE LA VILLE ET DE TOUS SES HABITANTS, JE VOUS DIS MERCI !
J'AI UNE VISION, QUELQU'UN A BESOIN DE NOUS, BARBELL...
OUI, JE LE SENS AUSSI, IL Y A DE L'ÉLECTRICITÉ DANS L'AIR !
ALORS ALLONS-Y MES AMIS !
VERS DE NOUVELLES AVENTURES !

TÉRATOLOGIE

JE PEUX TE FAIRE UNE CONFIDENCE ?

ON NE PEUT PAS DIRE QUE LE VINYLE METTE TES CUISSES EN VALEUR.
GRRRRR...

CONCENTRE-TOI UN PEU SUR L'EXERCICE !

PLUS VITE ON AURA TERMINÉ ET PLUS VITE ON POURRA RETIRER CES FRUSQUES RIDICULES QU'ON NOUS IMPOSE PENDANT LES EXAMENS...
CET ASPECT DE L'HÉROÏSME POPULAIRE ME REND DINGUE !

CHANCE, XIONG MAO ! VENEZ VOIR PAR ICI... JE CROIS QUE J'AI TROUVÉ.
L'INDICE QUI DOIT NOUS MENER À LA CRÉATURE EST DANS CETTE SALLE. JE SENS QU'ON ARRIVE BIENTÔT À LA FIN DE CETTE ÉPREUVE.
Craignos Monster
Chapitre 1
PARFAIT ! ET OÙ EST-CE QU'ON VA TROUVER L'INDICE QUE NOS GENTILS PROFESSEURS ONT CACHÉ ?
JE NE SAVAIS PAS QUE LA FAC POSSÉDAIT UNE TELLE COLLECTION...
C'EST QU'ON SE RETROUVE DANS CET ENDROIT POUR METTRE LA MAIN SUR UN VÉRITABLE MONSTRE BIEN VIVANT, LUI.
J'IMAGINE LE PIRE... REMARQUEZ QUE L'IRONIE DE LA SITUATION...
Craniothoracopagus

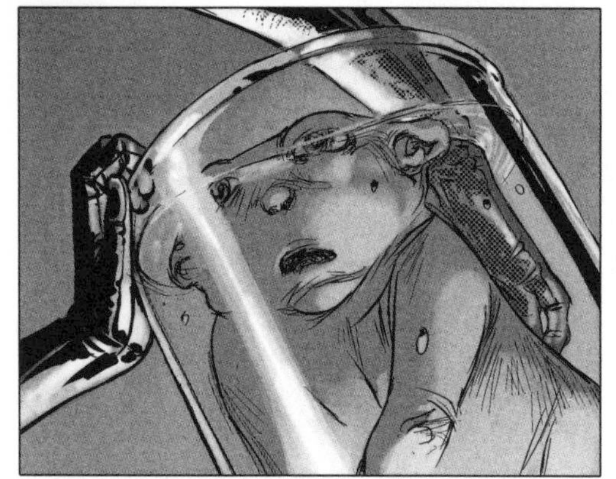

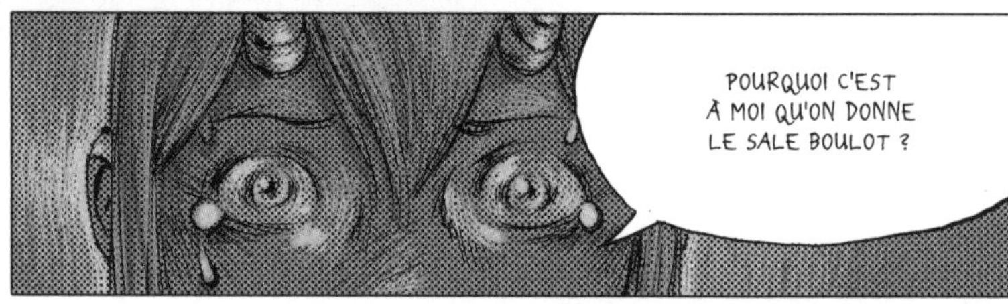

SI OMBRE RESPIRE LES VAPEURS DE FORMOL, IL VA BRÛLER SON ODORAT, ÇA REVIENDRAIT À GRILLER NOTRE MEILLEURE CHANCE DE TROUVER LA PISTE DE LA CRÉATURE.

QUANT À MOI...

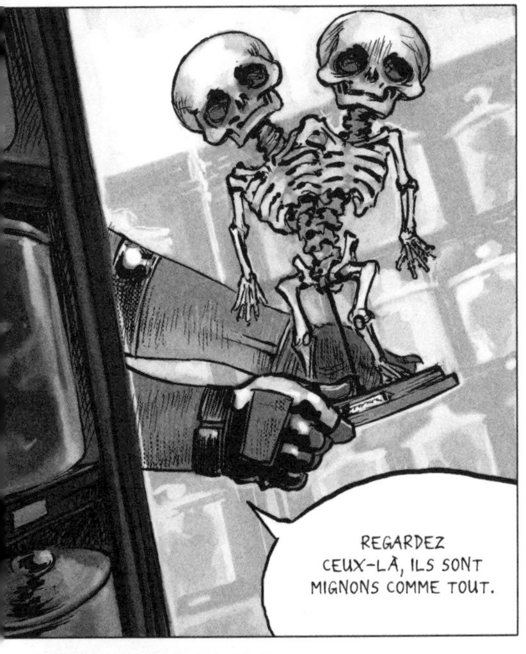
REGARDEZ CEUX-LÀ, ILS SONT MIGNONS COMME TOUT.

JE SENS VOS REGARDS CHARGÉS DE REPROCHES...

ALLEZ ! COURAGE !
CLEC

C'EST... C'EST TROP DUR !

J'Y VAIS !

OGH

BLEURG
PAIX À TON ÂME.

J'EN AI MARRE, DE LEUR ÉVALUATION SADIQUE ET DE LEURS DÉGUISEMENTS DÉBILES !

RECULE ENCORE UN PEU...
VRRRRRRR

STOP !

SORTEZ LES LANCES ÉLECTRIQUES ET FAITES ATTENTION.

N'OUBLIEZ PAS QUE CETTE BÊTE EST DANGEREUSE. JE VAIS OUVRIR LA PORTE BLINDÉE, TENEZ-VOUS PRÊTS !

ZZIIIT
ALLEZ ! SORTEZ-MOI ÇA DU CAMION !
ZZIIIT
GOOOHAAA

GHOOUAR
ZIIIT
ZZIIIT
TOG
TOG
CETTE FOIS, C'EST POUR UNE FAC... LES ÉTUDIANTS VONT BIEN S'AMUSER AVEC CELUI-LÀ, C'EST UN SACRÉ MORCEAU.
C'EST CURIEUX.

KLECK
KLECK
IL M'A SEMBLÉ BIEN COSTAUD POUR UN MONSTRE DE CLASSE "B".
NORMAL, C'ÉTAIT UN CLASSE "A".

ATTENDS, QU'EST-CE QUE T'ES EN TRAIN DE ME DIRE ? LE MONSTRE QU'ON DEVAIT LIVRER À CETTE ADRESSE C'EST BIEN LE CLASSE "B" DE LA CELLULE 233 ? NON ?

TU PENSES QU'ON S'EST PLANTÉS DE CLIENT ?
...

C'EST QUOI CE BORDEL ? LE BON DE LIVRAISON NE CORRESPOND PAS AUX PAPIERS DU MONSTRE !
Y A UN PROBLÈME ?
QUOI ? ILS ONT DÉJÀ ÉTÉ LIVRÉS ? POURQUOI ON N'A PAS ÉTÉ PRÉVENUS ?

ÇA SENT LE CRAMÉ ! ON S'TIRE !
VABROOM !!

GOOOOOUIII !!

DEUX MOIS PLUS TÔT.

BLA
BLA... BLA
BLA BLA
BLA
BLA ?!!
BLA

QUEL ÉNORME BOUQUIN !
POHF
C'EST DU STEPHEN KING ?

FORGER L'ACIER DE DAMAS... C'EST ORIGINAL COMME LECTURE.
...

AU FAIT ! MON NOM C'EST CHANCE ! ET TOI, TU T'APPELLES COMMENT ?
XIONG MAO.

PARDON ? J'AI PAS ENTENDU, LES AUTRES FONT TROP DE BRUIT.
XIONG MAO.

ZIOUNG MEW !
NON, XIONG MAO.

...
ZIOUNG MEW.

XIONG MAO!!!

...
...
...

ENCHANTÉE ! ET ÇA SE TRADUIT COMMENT ?
CLIC

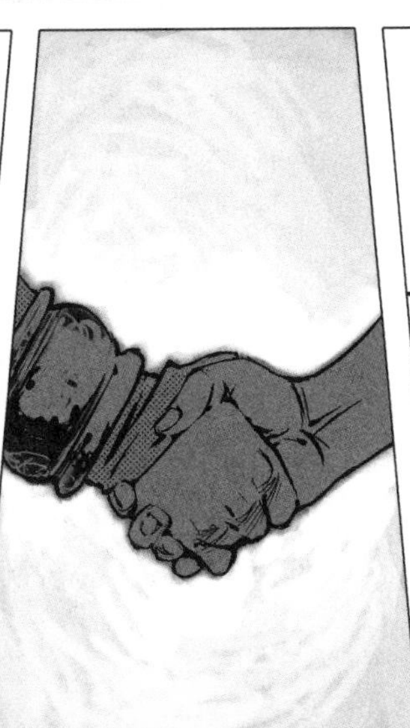

C'EST UN MOT QUI N'A PAS VRAIMENT D'ÉQUIVALENT DANS VOTRE LANGUE.

AWWHOOOOO

?

QU'EST-CE QU'IL Y A ?
RIEN... C'ÉTAIT CERTAINEMENT UN GROS NUAGE.

BONJOUR, VEUILLEZ REGAGNER VOS PLACES.

VRIIIII

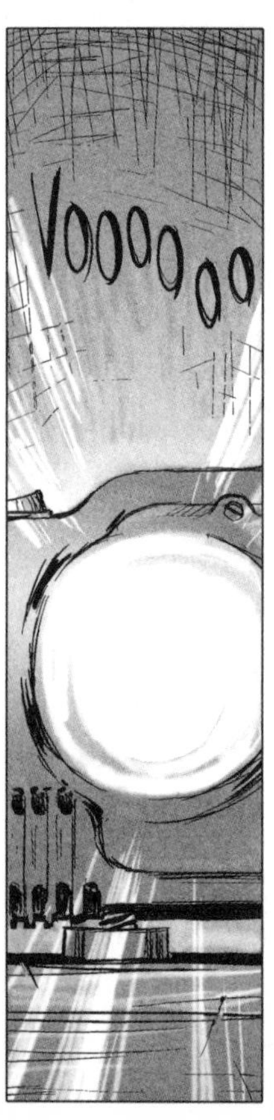
VOOOOOO

LEVEZ-VOUS POUR ACCUEILLIR NOTRE DIRECTEUR.

BONJOUR CHERS ÉLÈVES. BIENVENUE DANS CETTE ÉCOLE.
Faculté d'Étude Académique des Héros
F.E.A.H
BONJOUR MONSIEUR LE DIRECTEUR !

VOUS POUVEZ VOUS ASSEOIR. NOUS ALLONS COMMENCER CETTE PREMIÈRE JOURNÉE DE COURS PAR UNE BRÈVE PRÉSENTATION DE NOTRE ÉTABLISSEMENT. LA F.E.A.H., FACULTÉ D'ÉTUDES ACADÉMIQUES DES HÉROS.
LES HÉROS SONT DES MODÈLES À SUIVRE POUR LES ENFANTS ET CRISTALLISENT LES IDÉAUX DES PLUS GRANDS.
LES HÉROS SONT PORTEURS D'ESPOIR DANS NOTRE SOCIÉTÉ MODERNE PLONGÉE DANS LE MARASME ÉCONOMIQUE. VOILÀ LA LOURDE RESPONSABILITÉ DU HÉROS.

VOUS ÊTES ICI POUR DEVENIR UN DE CES HÉROS POPULAIRES. CETTE LOURDE TÂCHE NE VOUS SERA CONFIÉE QU'AU TERME D'UN CURSUS D'ÉTUDES DE TROIS ANNÉES RÉCOMPENSÉ PAR UN DIPLÔME RECONNU PAR L'ÉTAT.
VOUS ALLEZ DÉVELOPPER VOS POUVOIRS ET APPRENDRE À MAÎTRISER VOTRE IMAGE DANS LES MÉDIAS.

AFIN DE REMPLIR CES OBJECTIFS, VOUS AUREZ À VOTRE DISPOSITION DU MATÉRIEL DE POINTE AINSI QUE LES MEILLEURS PROFESSEURS. IL EST À NOTER QUE CES DERNIERS EXERCENT ENCORE LEUR ACTIVITÉ DE SUPER-HÉROS.
N'OUBLIEZ JAMAIS LES EFFORTS AUXQUELS VOUS AVEZ CONSENTI POUR INTÉGRER NOTRE ÉCOLE. VOUS AVEZ ÉTÉ TRIÉS SUR LE VOLET PARMI DES MILLIERS DE CANDIDATS.

NOUS VOUS GARANTISSONS LE PLEIN EMPLOI EN SORTANT D'ICI. MAIS IL S'AGIT D'UN PRIVILÈGE QUI SE GAGNE, VOUS ALLEZ DEVOIR VOUS BATTRE ET DONNER LE MEILLEUR DE VOUS-MÊMES !

C'EST SUR CES MOTS QUE JE VAIS VOUS LAISSER ENTRE LES MAINS DE Mme DUCASTEL, VOTRE PROFESSEUR D'IMAGE DE MARQUE.
MERCI DE VOTRE ATTENTION ET BONNE JOURNÉE !

VRIIIIIIIIIIIIIII

VOICI LA LISTE DES NOTES AU CONCOURS D'ADMISSION.
MERCI.

VOUS AVEZ ÉTÉ CLASSÉS PAR ORDRE DÉCROISSANT SELON VOS RÉSULTATS.
MERCI.

29 Gunther Von Haüser..........67
30 Vigilante Branson..........65
31 Chance d'Estaing..........65
32 Li Xiong Mao..........63
33 Ombre de Loup..........61

AU MOINS, ON N'EST PAS LES DERNIÈRES AU CLASSEMENT !
TRISTE CONSOLATION.

À PRÉSENT, VEUILLEZ-VOUS METTRE PAR TROIS, AFIN DE FORMER LES GROUPES DE TRAVAUX PRATIQUES.

LES GROUPES RESTERONT LES MÊMES POUR TOUTE L'ANNÉE SCOLAIRE EN COURS... ALORS CHOISISSEZ VOS PARTENAIRES AVEC SOIN ET DISCERNEMENT !

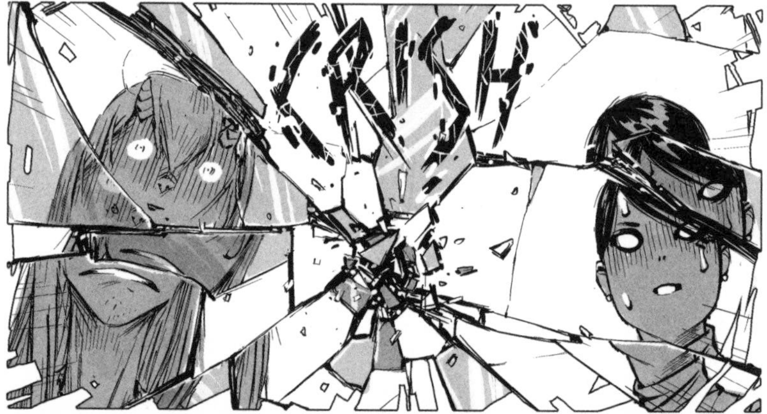
CRISH

QUELQUES INSTANTS PLUS TARD

EN FAIT, J'AURAI PAS ASSEZ FAIM. TU LE VEUX ?
MMM... BOF.

BEZOOM...

?!!
TOI AUSSI TU L'AS SENTI ?

KYAAA ! LE PAIN ! OÙ EST-CE QU'IL EST PASSÉ ?

NE TRAÎNEZ PAS, VOUS BLOQUEZ TOUT LE MONDE !
PARDON !

IL SE PASSE DES CHOSES ÉTRANGES...
C'EST LA DEUXIÈME FOIS QUE JE VOIS CETTE OMBRE.

MAINTENANT, TOUTE LA DIFFICULTÉ EST DE SE TROUVER UNE PAIRE DE PLACES... LE RÉFECTOIRE EST BIEN PLEIN À CETTE HEURE.
BLABLA. MUNCH MUNCH...
HÉ ! J'AI APERÇU DES GENS DE NOTRE CLASSE !
BLAF... BLA !
MMM... BLABLA.

SALUT LA COMPAGNIE ! IL RESTE DES CHAISES ?

ET À CÔTÉ DE TOI, AMANITE ?
JE SUIS SINCÈREMENT DÉSOLÉE MAIS ON ATTEND QUELQU'UN ...

ON NE VA PAS VOUS DÉRANGER PLUS LONGTEMPS, DANS CE CAS...

AH ! IL Y A UNE TABLE DE LIBRE AU FOND !
ENFIN UN ENDROIT OÙ SE POSER !
POUF
JE NE COMPRENDS VRAIMENT PAS POURQUOI PERSONNE NE S'EST ASSIS ICI ...
CLEC

KIIYAA !!
YEEEEE
VRMBL

OH PARDON ! JE VOUS AI FAIT PEUR ! NE VOUS DÉRANGEZ PAS POUR MOI, JE VAIS VOUS FAIRE DE LA PLACE.

BRRRRLL
CRiiiiiiiii

ET VOILÀ, VOUS POUVEZ VOUS ASSEOIR.

...

TU... TU PEUX MANGER À TABLE, SI TU VEUX...

C'EST VRAI ?

B... OUI... ?

BWOO

MERCI BEAUCOUP !
SHWOOO

C'EST SI RARE QUE DES PERSONNES NORMALES M'ACCEPTENT À LEUR TABLE !
CRIII
CLEK

EUH... BONJOUR.
JE M'APPELLE...
... CHANCE.

ET TOI C'EST XIONG MAO, SI JE NE ME TROMPE PAS.
OUI, TU PRONONCES BIEN.

MOI, C'EST OMBRE DE LOUP !

MAIS TOUT LE MONDE M'APPELLE OMBRE.
MUCH
MUCH
MUCH
ET COMMENT AS-TU SU POUR NOS PRÉNOMS ?

MUCH
MUCH

ON M'A DONNÉ ÇA AVANT DE RENTRER DANS L'ÉCOLE.
1-2
MAIS... C'EST LE TROMBINOSCOPE DE NOTRE CLASSE !

ALORS ÇA VEUT DIRE QUE...
Changelin
TU ES DANS LA MÊME CLASSE QUE NOUS ? MAIS OÙ ES-TU SUR CE TROMBI ?

LÀ.
Ombr
J'AI LE TEINT QUI PASSE MAL À LA PHOTOCOPIEUSE.

C'EST CURIEUX. JE SUIS CERTAINE DE NE PAS T'AVOIR VU CE MATIN EN COURS... UN GRAND GAILLARD COMME TOI, JE M'EN SERAIS SOUVENUE.

JE SUIS NATURELLEMENT DISCRET...

DISCRET AU POINT DE MANQUER LA RÉPARTITION DES GROUPES DE T.P. ?

TU ES AUSSI D'UN NATUREL TIMIDE, ON DIRAIT...

POUR TON BONHEUR, TU ES TOMBÉ SUR NOUS DEUX. NOUS ALLONS TE FAIRE UNE FLEUR, JE TE PROPOSE UNE PLACE EN OR DANS NOTRE GROUPE. QU'EN DIS-TU ?

C'EST VRAI ?!!
VRAI DE VRAI !

HYAAAAA!

BOK
DEUX POINTS ! SUIVANT !

J'AI ÉTÉ COMMENT ?
PITOYABLE.

POUR RATTRAPER TON VILAIN SCORE, ON DEVRA FAIRE CENT CINQUANTE POINTS À NOUS DEUX, OMBRE ET MOI...
SUIVANT !

J'AI LA DÉSAGRÉABLE SENSATION QUE CE SEMESTRE PART SUR DE MAUVAISES BASES...
VAS-Y ! T'ES LA PLUS FORTE !
MERCI.

• • •

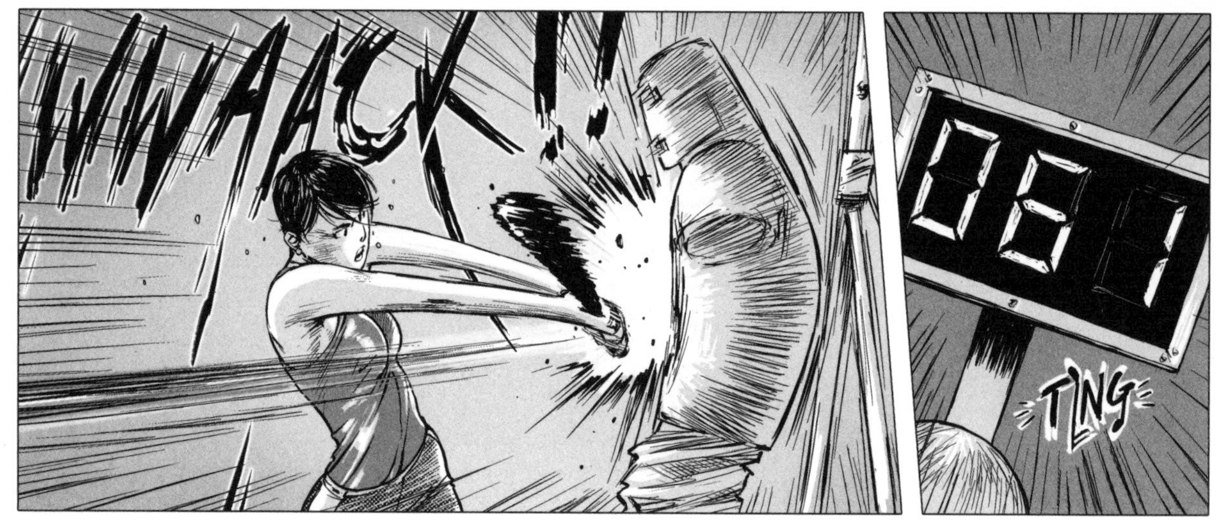
WWAACK !!
TING

TON COUP ÉTAIT EXTRAORDINAIRE !
PAS ASSEZ MALHEUREUSEMENT ...

RHOO, QU'EST-CE QUE T'ES NÉGATIVE COMME FILLE !
J'AI BIEN PEUR QUE TON AMIE AIT RAISON.
AUSSI BELLE SOIT-ELLE, SA FRAPPE NE SURPASSE PAS LES CRITÈRES HUMAINS.

SUIVANT !
... CRITÈRES HUMAINS ?

OBSERVE UN PEU LES AUTRES, TU COMPRENDRAS MIEUX CE QUE J'ENTENDS PAR LÀ.

SHABALALAAAA...

BLOB
BLOB
...
BLO

HÉ !

BLUBLUB

BLOB...
BLOB.

BLOB !!

K-BAM
HÉ !
MAIS C'EST
DE LA TRICHE !!

HUM... LE COUP
EST RÉGULIER
...
SUIVANT !

REGARDE CHANGELIN.
C'EST UNE CREVETTE,
ELLE PEUT À PEINE
TENIR LA BATTE...
MÉFIE-
TOI DES
APPARENCES
...
SI SEULEMENT
J'ÉTAIS PLUS
...

HAW-
HA !
BALÈZE !

K-BAM

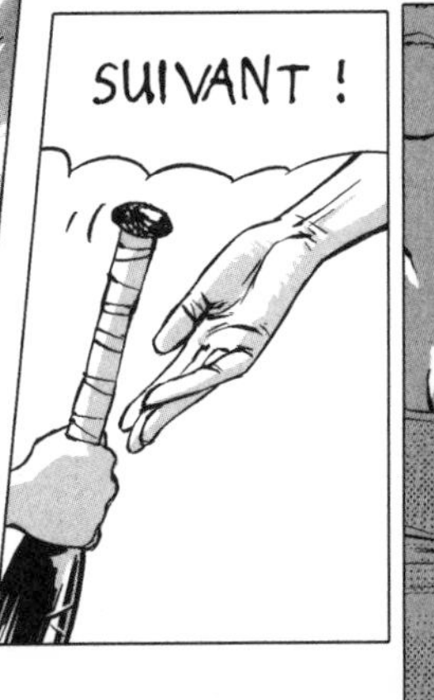
SUIVANT !

SI JE SUIS TON
RAISONNEMENT,
VALKYRIE DOIT
ÊTRE FAIBLE ?

NON, CETTE FOIS TU PEUX TE FIER À SON PHYSIQUE...
KRRRR
PAR LE MARTEAU DE THOR!

120
VALKYRIE EST UNE ATHLÈTE HORS PAIR. ELLE A OBTENU LES MEILLEURS RÉSULTATS AUX ÉPREUVES PHYSIQUES DU CONCOURS.

SUIVANT !
PARDON MESDEMOISELLES, C'EST À MON TOUR.
J'AIMERAIS BIEN L'AVOIR DANS MON GROUPE...
WOUHA ! ELLE EST TROP FORTE !

K-BAM!

SUIVANT !

C'EST QUAND MÊME PAS DE CHANCE... MON POUVOIR À MOI NE NOUS A SERVI À RIEN SUR CETTE ÉVALUATION...
ET TOI, C'EST QUOI TON TALENT CACHÉ, SI TU N'ES PAS PARTICULIÈREMENT FORTE ?
MOI ? JE N'AI AUCUN SUPER POUVOIR, CONTRAIREMENT À VOUS AUTRES.

ALORS... ÇA VEUT DIRE QUE TU ES SUPER...

NORMALE ?
EXPLIQUE-MOI COMMENT TU AS FAIT POUR ENTRER DANS CETTE UNIVERSITÉ ...

J'AI COMPENSÉ AVEC LES ÉPREUVES ÉCRITES, COMME LE MARKETING, L'HISTOIRE OU ENCORE... LA STRATÉGIE !
À CE PROPOS, IL EST TEMPS DE DÉVOILER NOTRE PIÈCE MAÎTRESSE...

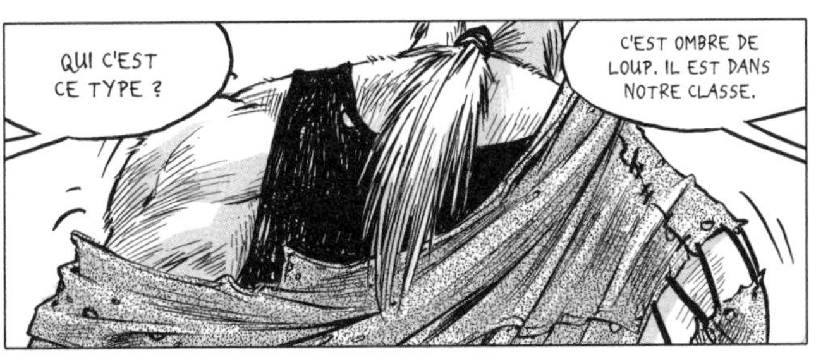
QUI C'EST CE TYPE ?
C'EST OMBRE DE LOUP. IL EST DANS NOTRE CLASSE.

C'EST À MOI DE FRAPPER ?
OMBRE EST BÂTI COMME UNE ARMOIRE NORMANDE. IL VA NOUS FAIRE RATTRAPER NOTRE RETARD !

IL EST SUPER COSTAUD !
MÊME LE PROF A L'AIR PETIT EN COMPARAISON...

WOOOOSH

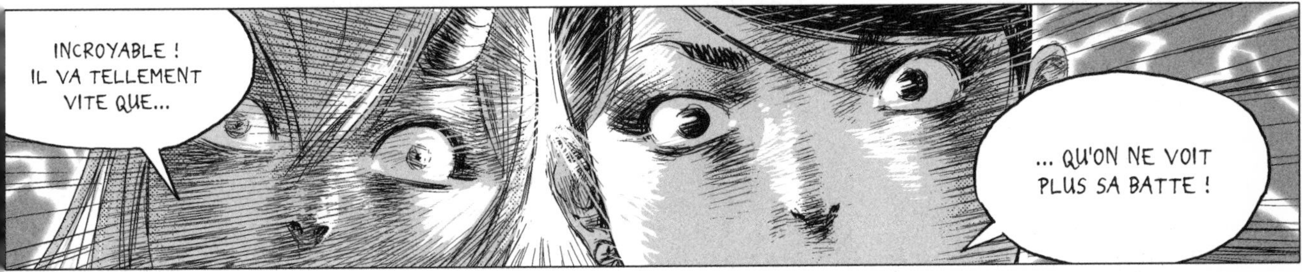
INCROYABLE ! IL VA TELLEMENT VITE QUE...
... QU'ON NE VOIT PLUS SA BATTE !

GUNTHER !!!
WOUPS !
TSS... ZÉRO ! VOUS N'AVEZ PAS FRAPPÉ LA CIBLE.
ACK
ACK

PARDON GUNTHER ! C'EST PAS MA FAUTE ! LA BATTE ÉTAIT TROP PETITE POUR MES GRANDES MAINS... ELLE M'A GLISSÉ DES DOIGTS !!
VITE ! EMMENEZ-LE À L'INFIRMERIE !

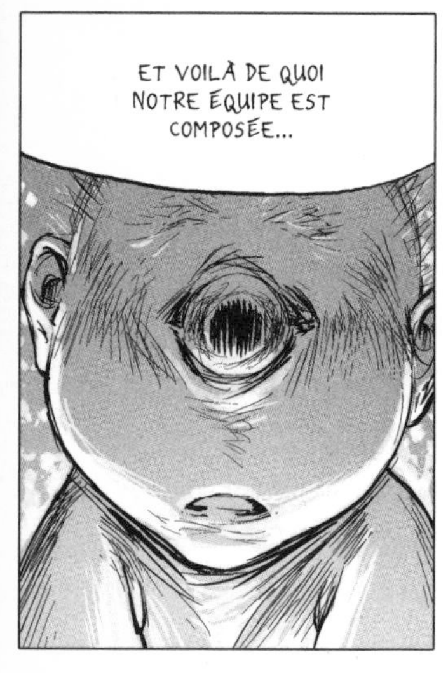
ET VOILÀ DE QUOI NOTRE ÉQUIPE EST COMPOSÉE...

UN LOUP AVEC DEUX MAINS GAUCHES, UNE FILLE SUPER NORMALE ET UNE MINABLE.
TU AS TROUVÉ QUELQUE CHOSE ?

NON, RIEN DE RIEN... IL FAUDRAIT DES ANNÉES POUR VÉRIFIER CHAQUE BOCAL ! ET JE NE VOIS PAS COMMENT UN INDICE NOUS PERMETTRAIT DE TROUVER LE...

... MONSTRE !!!!
KROOOA
KRU ? ! !

VRIIIIIIII
À TERRE !

AU SECOURS !
VOOOOOO
TCHAC !

OULÀ !
LE SALAUD, IL S'ENFUIT !
N'Y VA PAS SEUL, OMBRE !

CHANCE, TU VAS BIEN ?
C'EST UN MIRACLE ! LE BÉBÉ... IL N'A RIEN.
RIEN DE CASSÉ ?

IL VA PAS S'EN TIRER COMME ÇA. JE VAIS LUI DONNER UNE BONNE LEÇON QUI LUI ÔTERA L'ENVIE DE CASSER DU BOCAL !
TU... TU SAIGNES DE PARTOUT.

ET ALORS ? OMBRE, SUIS-LE PENDANT QUE LA PISTE EST ENCORE CHAUDE !

...
IL EST PARTI PAR LÀ !

CHANCE ! ATTENDS-NOUS AU MOINS !

GUNTHER, ALUCRADE ! QU'EST-CE QUI VOUS EST ARRIVÉ ?
AAARGH...

VOUS AVEZ VU PASSER LA CRÉATURE ?

?
DIRE QU'ELLE NOUS EST PASSÉE DESSUS SERAIT PLUS APPROPRIÉ...

KYAAAAAA !!!!

AH...
BZOOOM...

PARDON HALLOWEEN, JE T'AI PRISE POUR UN CADAVRE DÉCAPITÉ.
?

NE FAIS PAS DE MOUVEMENT BRUSQUE.
IL VA S'EN SORTIR.

LA... LA BÊTE EST ARRIVÉE SI VITE...

MAIS CELUI QUE NOUS AVONS AFFRONTÉ EST BIEN TROP FORT POUR DES ÉTUDIANTS DE PREMIÈRE ANNÉE...
NOUS AVONS À PEINE EU LE TEMPS DE L'APERCEVOIR. IL Y A QUELQUE CHOSE QUI CLOCHE. ON NOUS A DEMANDÉ D'ATTRAPER UN MONSTRE DE CLASSE "B".

PAS DE TEMPS À PERDRE !
LE GROUPE DE GUNTHER EST HORS-JEU.

ÇA SIGNIFIE QU'IL RESTE ENCORE AU MOINS NEUF ÉQUIPES EN JEU.
SHNIF

LA PISTE EST ENCORE CHAUDE... MAIS IL Y A UN TRUC QUI COLLE PAS...

ON N'A PAS LE TEMPS DE S'EN INQUIÉTER.
AVEC TOUT LE BOUCAN QU'ON A FAIT, LES AUTRES GROUPES SONT AU COURANT QUE LE MONSTRE EST LÂCHÉ. ILS VONT TOUS SE METTRE EN CHASSE.

IL FAUT ABSOLUMENT QUE NOUS SOYONS LES PREMIERS À L'ATTRAPER.
ÇA NOUS FERAIT ASSEZ DE POINTS POUR NOUS SAUVER DE NOS MAUVAIS RÉSULTATS DU DÉBUT D'ANNÉE !
TAC
TAC

?

CHUuuuu...
IL EST JUSTE DEVANT... ENLEVEZ VOS CHAUSSURES...

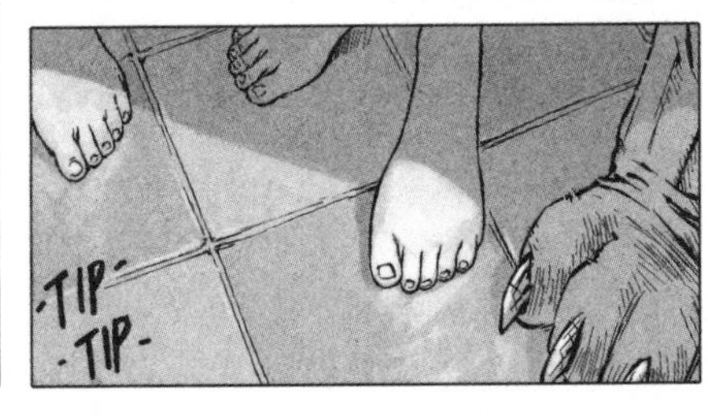
TIP
TIP

LÀ, EN BAS ...

VOUS LE VOYEZ ?

RESTEZ ICI, TOUTES LES DEUX. JE M'OCCUPE DE LE PRENDRE À REVERS.

ÇA ME RASSURE D'AVOIR OMBRE DANS NOTRE ÉQUIPE...

PLIC
QU'EST-CE QUE...

AYIIII!!
ZACH

Chapitre 2
Le Croque Mitaine
POURQUOI MOI ?

WOOOO...

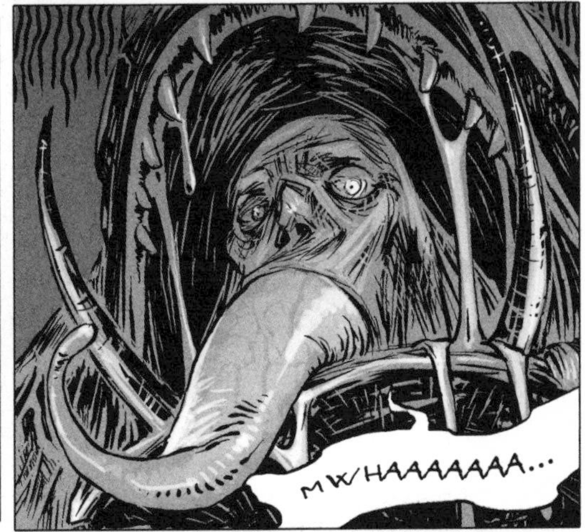
MWHAAAAAAA...

URG !
WOK

RECULE, SALETÉ !!
WÄK!
WOK!

CRASH

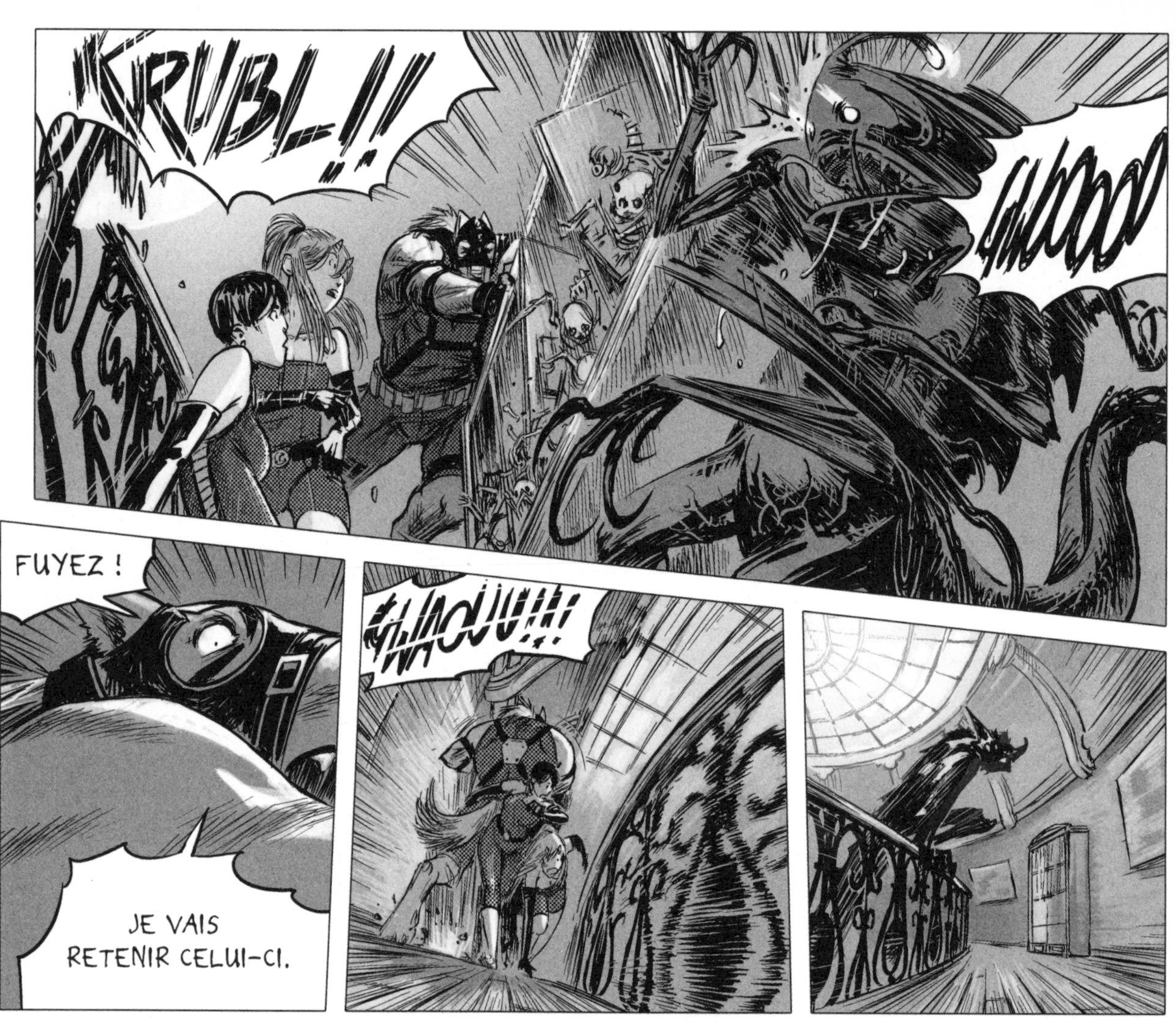
KRUBL !!
GWOOOO
FUYEZ !
JE VAIS RETENIR CELUI-CI.
GWAOUUU !!!

GRRRRR...
NOUS SOMMES CERNÉS !
GWOOO...
OH LA VACHE !
ON DEVAIT COMBATTRE UN SEUL MONSTRE... POURQUOI J'EN COMPTE DEUX ?
LES PROFS DEVAIENT TROUVER ÇA TROP FACILE...
PERSONNE N'EST CENSÉ MOURIR PENDANT UNE ÉVALUTION !

J'AI ÉTÉ TRÈS HEUREUSE DE VOUS CONNAÎTRE. BYE !
HEY ! OÙ EST-CE QUE TU VAS COMME ÇA ?

CHANCE !
FWOOP

- SHKLING -

IL NOUS FAUT UNE IDÉE. LE MOINS FORT DES DEUX C'EST CELUI-CI. ON VA FORCER LE PASSAGE DE SON CÔTÉ.
GRRR

ET SI JE LES RETENAIS TOUS LES DEUX POUR QUE TU PUISSES FILER ?

HORS DE QUESTION QUE JE TE LAISSE TOMBER. ON VA FAIRE COMME J'AI DIT ET ON NE DISCUTE PAS. À TROIS, JE CRÉE UNE DIVERSION ET TU NEUTRALISES LE PLUS PETIT.

UN...
DEUX...

TROIS !
CRi
?

CHANCE !
ELLE EST REVENUE !

CHANCE N'ABANDONNE JAMAIS !

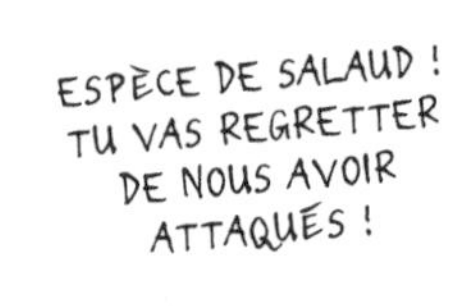
ESPÈCE DE SALAUD ! TU VAS REGRETTER DE NOUS AVOIR ATTAQUÉS !

DZIIIIING

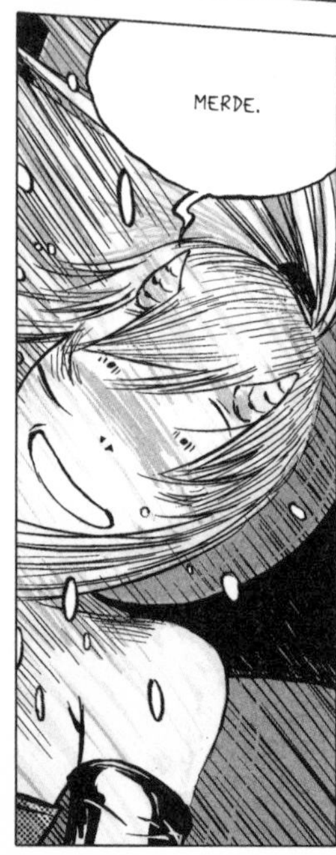
MERDE.

KRASH

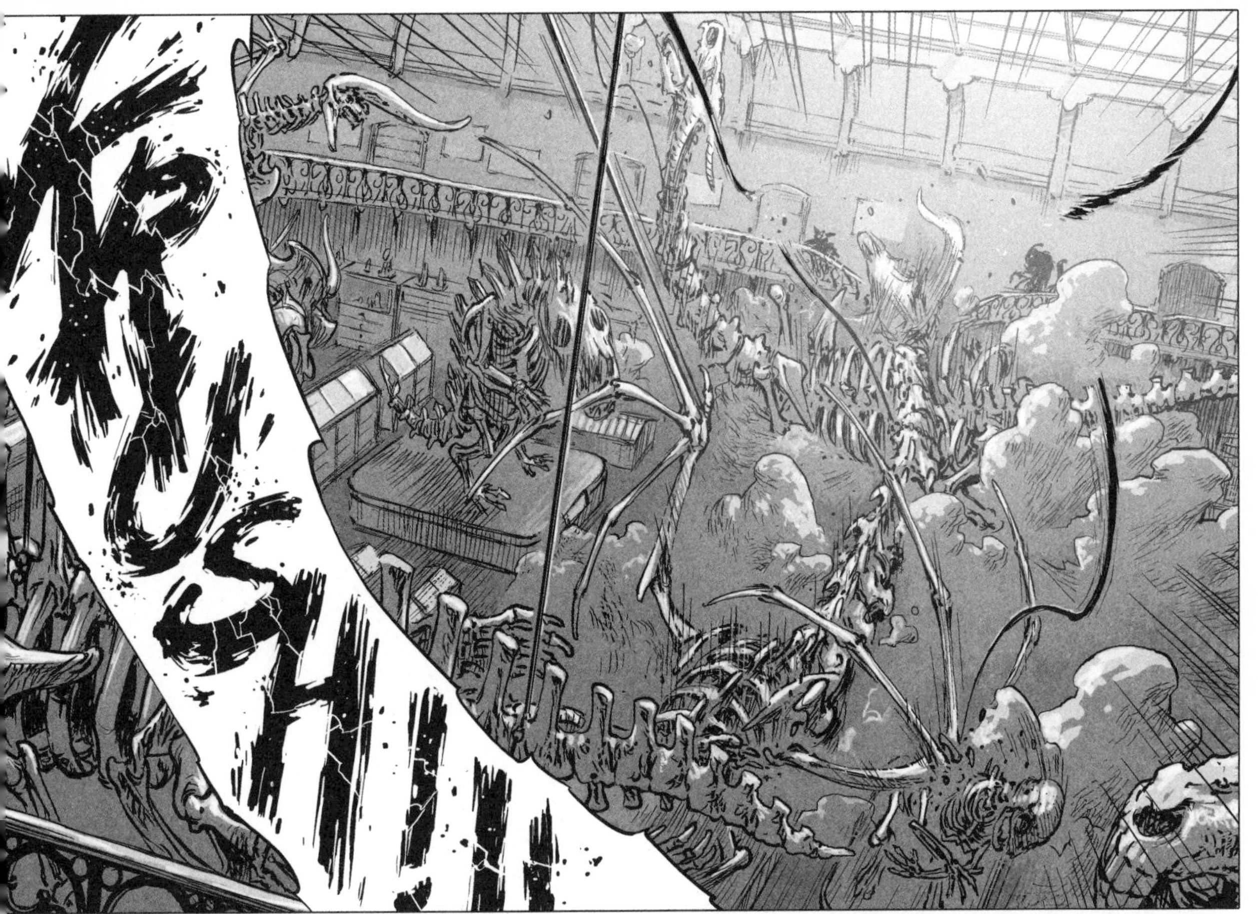

GW/OO ?
GRR ?

ON EST
EN VIE !
KOF KOF
GAAAA...

OMBRE,
ATTRAPE CHANCE
DISCRÈTEMENT.
GRRRRRR...

C'EST PAS BON
DE TRAÎNER
PAR ICI !

TAP
TAP
TAP
TAP

ILS SONT JUSTE DERRIÈRE !
WOW ! J'AI FAIT UN DRÔLE DE RÊVE.

- SHKLING -

- SHKLING -

GWOOOOO

VWOOOT

CROAK

KRESH
PSHHHHH

ON NE PEUT PAS COURIR COMME ÇA ÉTERNELLEMENT !

LA HACHE D'INCENDIE, OMBRE !

J'AI !
TCHOP

À TOI DE JOUER !

MAIS QU'EST-CE QUE J'EN FAIS ?
C'EST BIEN TOI QUI AS FAIT SOIXANTE-ET-UN POINTS !

FAIS-NOUS LE HOME RUN DE LA VICTOIRE !
O.K. !
-SNIF-
VOUS SENTEZ PAS COMME UNE ODEUR DE GAZ ?

TOUCHÉ !
SQUEE

CZIIIIT

PSHHHHH

BROUF

TOUT LE MONDE ÉVACUE ! CE N'EST PAS UN EXERCICE !
L'ÉVALUATION EST ANNULÉE !

ILS SONT TOUS SORTIS ?
NON.
IL MANQUE TROIS ÉLÈVES À L'APPEL... ET LES SECOURS NE SONT TOUJOURS PAS ARRIVÉS...

TCHUAAAHHHH

XIONG MAO ?
ZAAT ZAAT
CHANCE ?
TSHHHHH
VROUF

VOUS ÊTES ENCORE VIVANTES ?
J'EN AI PEUR...
AAAÏE...

ON NE PEUT PAS EN DIRE AUTANT DE CELUI-LÀ...
GGGGG...

NE VOUS RÉJOUISSEZ PAS TROP VITE...

GWOOOOOO
VROUF

TU PEUX FAIRE QUELQUE CHOSE, OMBRE ?
OUI... MAIS JE NE TIENDRAI PAS LONGTEMPS FACE À UN TEL GABARIT...

- SHKLING -
- SHKLING -

ROAR!!
VRUNK

AYEEE!!

-SHKLING-
?
-SHKLIIIIIIIIIING-
-CLEC-
-SHKLING-
...
GWOOOOU!
RESTEZ À TERRE SI VOUS NE VOULEZ PAS MOURIR.

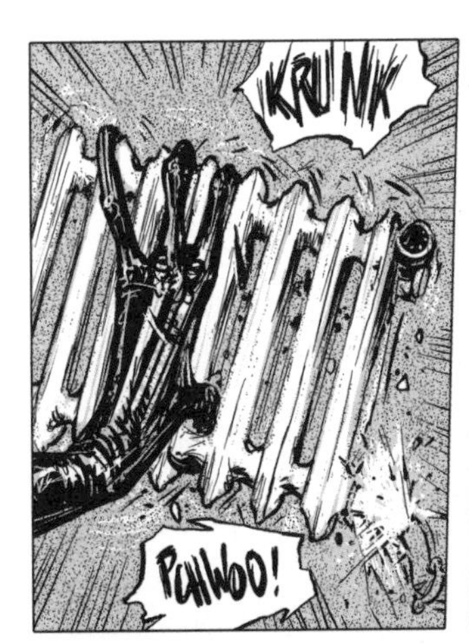
KRUNK
PUHWOO!

GWOAH!!!
- SHKLING -

SHACK
SHIIIK

IL VA TELLEMENT VITE QU'IL TRANCHE LE SON !

GWOU?

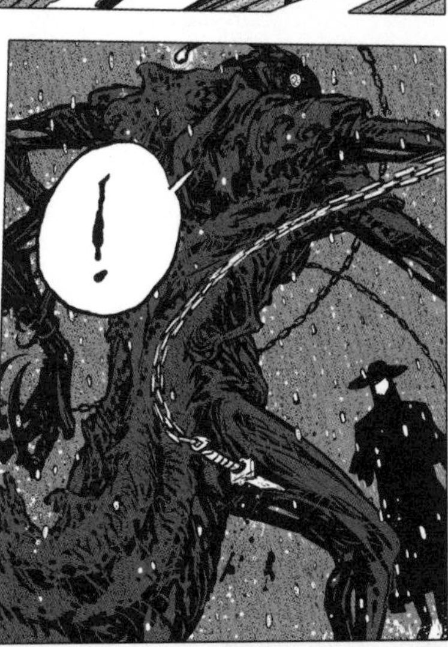
!

SHKLING

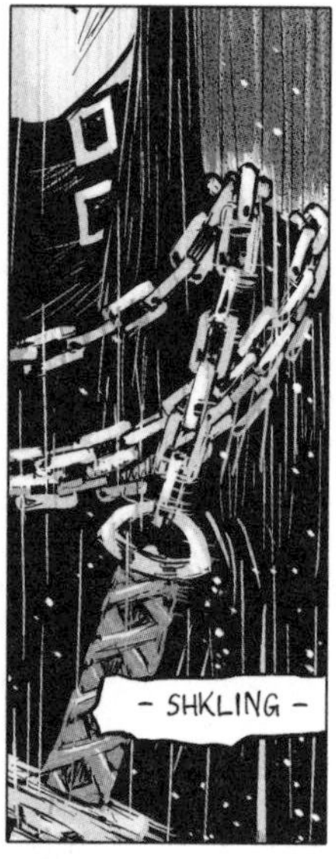
- SHKLING -

- SHKLING -
VOUS AVEZ EU DE LA CHANCE QU'IL NE VOUS AIT PAS MIS EN PIÈCES.
- SHKLING -
VROUF

- SHKLING -
QUANT À VOUS DEUX... VOUS SAVEZ TRÈS BIEN QUE VOUS N'AVEZ RIEN À FAIRE ICI.
GWOOOOO...
GAAAAA...

NOUS SOMMES LIÉS PAR CONTRAT, IMPOSSIBLE POUR NOUS DE QUITTER VOTRE DIMENSION SANS REMPLIR NOTRE PART DU MARCHÉ.

JE VOIS...
JE VAIS VOUS LIBÉRER DE CE CONTRAT ET VOUS RENVOYER CHEZ VOUS... LA PROCHAINE FOIS, LISEZ PLUS ATTENTIVEMENT AVANT DE SIGNER N'IMPORTE QUOI...

TRANSMETTEZ MES HOMMAGES À SON INDESCRIPTIBLE MAJESTÉ...
C'EST BIEN UN SABLIER D'ESPÉRANCE DE VIE QUE TU AS LÀ...

EN EFFET ...
J'APPRÉCIE LE GESTE, HUMAIN.
RASSURE-TOI CE N'EST PAS LE MIEN.
MERCI QUAND MÊME...

DE RIEN...
BZOHM !

DE QUEL MARCHE CES CRÉATURES PARLAIENT-ELLES ? ON AURAIT PU CONNAÎTRE LEUR OBJECTIF ?
EST-CE QU'ON PEUT SAVOIR QUI LES A INVOQUÉES ?

NI L'UN NI L'AUTRE... LES DEUX ABYSSAUX ÉTAIENT TENUS AU SECRET PAR UNE CLAUSE DE CONFIDENTIALITÉ. JE N'AURAIS OBTENU AUCUN AVEU SUPPLÉMENTAIRE DE LEUR PART, MÊME AVEC DES MÉTHODES PLUS MUSCLÉES...
- SHKLING -

ALORS VOUS ÊTES PROFESSEUR DANS CETTE UNIVERSITÉ ?
VOUS FAITES PARTIE DE CET EXAMEN ? VOUS ÊTES EN TRAIN DE NOUS TESTER, C'EST ÇA ?
- SHKLING -
NI L'UN NI L'AUTRE.
- SHKLING -

QUOI ENCORE ?
QUI QUE VOUS SOYEZ, JE VOULAIS VOUS REMERCIER DE NOUS AVOIR SAUVÉ LA VIE.

...
IL N'Y A PAS DE QUOI.
- SHKLING -

EST-CE QU'ON VOUS REVERRA ?

SHKLING
SHKLING

SHKLING

ÇA VA PAS BIEN DANS VOS TÊTES ?!!
QU'EST-CE QUE C'EST QUE CES GAMINS QUI NE RESPECTENT PAS L'ORDRE D'ÉVACUATION ?!!

ET S'IL VOUS ÉTAIT ARRIVÉ QUELQUE CHOSE ?

LES MAGNIFIQUES COSTUMES QUE NOUS AVIONS DESSINÉS ENSEMBLE. ILS SONT FICHUS... FICHUS !
VOUS LES AVEZ DESSINÉS TOUTE SEULE.

IL N'Y A PAS EU DE DÉGÂTS HUMAINS, VOUS AVEZ EU DE LA VEINE ! PAR CONTRE, LA NOTE VA ÊTRE SALÉE. VOUS AVEZ DÉTRUIT LA MOITIÉ DE L'AILE DE CRYPTOZOOLOGIE !
AARGH...

ET POUR L'EXAMEN... ON SERA NOTÉS SUR QUELS CRITÈRES AU FINAL ? PERSONNE N'A PU ATTRAPER LE MONSTRE À CAUSE DE L'INCENDIE...
L'EXAMEN A ÉTÉ ANNULÉ ! VOUS LE REPASSEREZ DANS DEUX MOIS !

NE VOUS FAITES PAS DE BILE. S'IL EST FURAX C'EST PARCE QU'IL S'EST FAIT UN SANG D'ENCRE À VOTRE SUJET.
C'ÉTAIT QUELQUE CHOSE !
ALORS... ÇA VEUT DIRE QUE...

CE N'EST PAS VOUS QUI AVEZ RAJOUTÉ UN MONSTRE CLASSE "A" SURPRISE ?
MAIS BIEN SÛR QUE NON ! VOUS ME PRENEZ POUR UN FOU ?!

SI CE NE SONT PAS LES PROFS...
QUI A PU INVOQUER UNE TELLE CRÉATURE.
LA VRAIE QUESTION C'EST "POURQUOI" ?

LE BILAN DE CETTE SOIRÉE EST MITIGÉ, LES RÉSULTATS ÉTANT EN DESSOUS DE NOS PRÉVISIONS.

LES MONSTRES ONT AGRESSÉ DEUX ÉQUIPES D'ÉLÈVES, UNE SEULE A ÉTÉ MISE HORS-JEU PAR K-O. ENSUITE, LES CRÉATURES ONT DISPARU, CORPS ET ÂME.

ON A RETROUVÉ LES TRACES D'UNE PORTE ABYSSALE... IL EST ÉTONNANT POUR DES ÉLÈVES DE PREMIÈRE ANNÉE D'EN CONNAÎTRE LES SECRETS. NOUS DEVRIONS GARDER UN ŒIL SUR CETTE ÉQUIPE.
À PROPOS DES CRÉATURES. APRÈS L'EMBROUILLE DONT ILS ONT ÉTÉ VICTIMES, J'AI PEUR QUE LE SERVICE DE LIVRAISON C.MONSTER NE VEUILLE PLUS TRAVAILLER AVEC NOUS. DORÉNAVANT, NOUS DEVRONS NOUS PASSER DE LEURS SERVICES.

C.MONSTER NE SONT PAS LES SEULS SUR LE MARCHÉ DE LA LIVRAISON DE MONSTRE. IL N'Y A PAS À S'EN FAIRE.
EFFECTIVEMENT. PASSONS AU BILAN MATÉRIEL. UNE GRANDE PARTIE DES REPRODUCTIONS DE SQUELETTE DE LA SECTION CRYPTOZOOLOGIE A ÉTÉ IRRÉMÉDIABLEMENT ENDOMMAGÉE, ET L'INCENDIE A DÉTRUIT UNE PARTIE DE L'AILE DE TÉRATOLOGIE. LES DÉGÂTS SONT ESTIMÉS À PLUSIEURS MILLIONS.

MA CHÈRE, CONSIDÉREZ CECI COMME UN INVESTISSEMENT POUR LE FUTUR. IL Y A EU SUFFISAMMENT DE "CASSE" POUR QUE CET ÉVÈNEMENT SOIT GÉNÉREUSEMENT COUVERT PAR LES MÉDIAS. SACHEZ QU'À CHAQUE FOIS QUE NOUS FAISONS LES GROS TITRES, NOUS GAGNONS DES PARTS DE MARCHÉ. L'IMPACT DE CETTE MÉDIATISATION EST DES PLUS BÉNÉFIQUES AUPRÈS DE NOS ACTIONNAIRES.

BIENTÔT, LES PLUS PRESTIGIEUSES ÉCOLES DE HÉROS, Y COMPRIS SAINT-ANGE, VIENDRONT MANGER DANS LA MAIN DE LA F.E.A.H. !
VOUS ÊTES UN GÉNIE, MONSIEUR LE DIRECTEUR !

SCRITCH

SHWUUUU...
CLAP, CLAP...
WUSH, WUSH...

BONJOUR, FÉLICIA.
SALUT XIONG MAO, BIEN DORMI ?

CLEC.

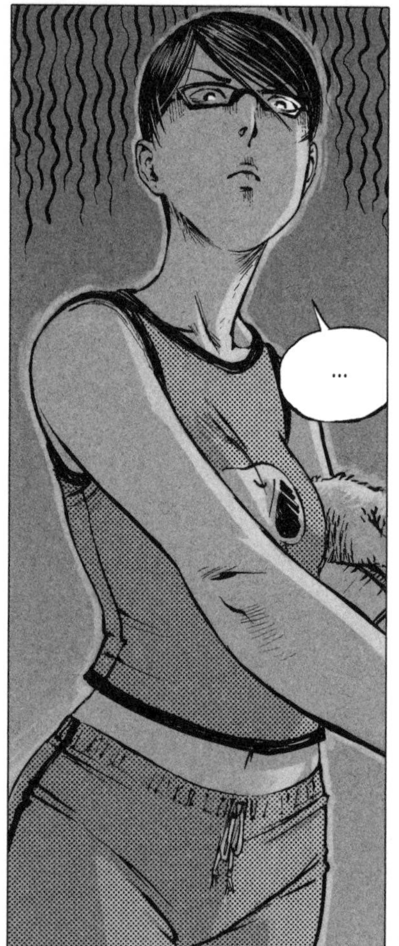
...

-KRUK-

-KRR-

AMANITE... NOTRE CHAMBRE EST UNE VÉRITABLE PORCHERIE ! ÇA T'AURAIT DÉFRISÉE DE FAIRE UN PEU DE MÉNAGE APRÈS VOTRE PETITE FÊTE D'HIER SOIR...

...

DEPUIS LES TEMPS LES PLUS RECULÉS JUSQU'À AUJOURD'HUI, LES HÉROS ONT TOUJOURS EXISTÉ. ILLUMINANT DE LEUR CHARISME LA TOTALITÉ DES CULTURES HUMAINES.
Chapitre 3
Pasta alla Carbonara!
LES EXPLOITS DES PLUS ILLUSTRES D'ENTRE EUX N'ONT CESSÉ D'ÊTRE CONTÉS. PRENANT AVEC LE TEMPS ET LES VERSIONS, DE PLUS EN PLUS D'AMPLEUR.
LES HÉROS SE MONTRENT TOUJOURS PLUS RUSÉS ET TOUJOURS PLUS FORTS. ILS SE PARENT D'UNE SYMBOLIQUE DÉPASSANT LEUR STATUT D'HOMMES ET DE FEMMES. ILS ACQUIÈRENT UNE FORME D'IMMORTALITÉ PAR LÀ MÊME.

CERTAINS SONT DEVENUS LES SYMBOLES VIVANTS DE NATIONS PUISSANTES ET PROSPÈRES.

DE NOS JOURS, LES HÉROS REVÊTENT DIVERSES FORMES. L'ÉVOLUTION DE LEUR APPARENCE ALLANT DE PAIR AVEC LE MÉTISSAGE DES CULTURES. POURTANT, IL EST AISÉ DE TRACER UN PARALLÈLE ENTRE CES ICÔNES MODERNES ET CELLES DE LA PRÉHISTOIRE.

Ding Dang Dong
COMME LE TEMPS PASSE VITE ! C'EST DÉJÀ LA FIN DU COURS.

N'OUBLIEZ PAS VOS EXPOSÉS, LA NOTE COMPTERA POUR LA VALIDATION DU MODULE. LA SEMAINE PROCHAINE, NOUS ABORDERONS LA QUESTION, Ô COMBIEN ÉPINEUSE, MAIS NÉANMOINS PASSIONNANTE DES HÉROS ET DE LA RELIGION.
LES PLUS COURAGEUX PEUVENT COMMENCER À POTASSER LE SUJET.
BLA BLA.
BLA.

BLA ?
BLA !
BLA, BLABLA

HÉ ! MAIS C'EST LA BANDE À SCOUBIDOU !
CETTE VOIX !

BLA...
IL PARAÎT QUE VOUS AVEZ VU LE MANCHOT, PENDANT LA CHASSE AU MONSTRE DE LA SEMAINE DERNIÈRE ?
BLA,BLA.
POSSIBLE...
BLA BLA !

...
...
BZZZZZZZZZZZ
LA... LA MALÉDICTION...
UNE MALÉDICTION ?

LA MALÉDICTION DU MANCHOT, QUICONQUE LE RENCONTRE PERD LA SANTÉ MENTALE SEPT JOURS PLUS TARD..

...
PARCE QUE VOUS Y CROYEZ À CES HISTOIRES À DORMIR DEBOUT ?
C'EST-À-DIRE QUE...

J'AI ENTENDU CETTE HISTOIRE DE CETTE FILLE QUI L'AURAIT VU. LE MATIN DU SEPTIÈME JOUR, SES CHEVEUX SONT DEVENUS BLANCS ET ELLE DÉLIRAIT. MAINTENANT ELLE EST À L'ASILE.
TOUT ÇA C'EST VRAI ! J'AI UN POTE QUI CONNAÎT QUELQU'UN QUI...
CET ÉTÉ ON A RETROUVÉ UN CADAVRE DÉMEMBRÉ DANS LE CANAL.
AFFLIGEANT...

VOUS CALOMNIEZ UN HOMME QUE VOUS NE CONNAISSEZ MÊME PAS ET QUI NOUS A POURTANT SAUVÉ LA VIE !
ET VOUS VOULEZ ENCORE DEVENIR DES HÉROS ?

VOUS ME FAITES HONTE, TOUS AUTANT QUE VOUS ÊTES !
STAK

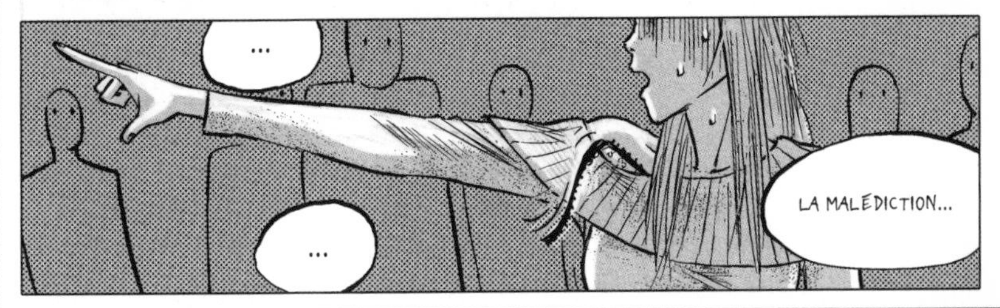
...
LA MALEDICTION...
...

SHH SHH
SHH SHH

TAC TAC TAC TAC
QUELLE BANDE D'ABRUTIS !

IMBÉCILES SUPERSTITIEUX !

OUH LÀ ! JE DOIS ALLER AU BOULOT, C'EST BIENTÔT L'HEURE DE MON SERVICE !
TU PASSES DU COQ À L'ÂNE, PARFOIS C'EST DUR DE TE SUIVRE...

JE VOUS RETROUVE À VINGT HEURES AU CAMPUS POUR DONNER UN COUP DE MAIN SUR L'EXPOSÉ D'HISTOIRE. VOUS ÊTES SÛRS QUE ÇA VOUS DÉRANGE PAS DE VOUS OCCUPER DE LA BIBLIO ?
DÉPÊCHE-TOI, TU VAS RATER LE TRAMWAY.
CERTAINE. ON EST ASSEZ DE DEUX POUR CE BOULOT.

POUR VOUS REMERCIER, JE M'OCCUPE DU REPAS DE CE SOIR !

K~Fête!

VOUS AVEZ CHOISI ? QU'EST-CE QUE JE VOUS SERS ?

HÉ, K ! UN GROG MAISON ET UN ORANGE-MOKA-FRAPPUCCINO POUR LA HUIT !

DRELIN

CHANGELIN ! QU'EST-CE QUI NOUS VAUT LE PLAISIR DE TA PRÉSENCE ?
...
JE... JE PEUX UTILISER VOS TOILETTES ?

BIEN SÛR ! MAIS POUR ÇA, FAUT CONSOMMER !
!

JE PLAISANTE ! TU PEUX Y ALLER !
MERCI !

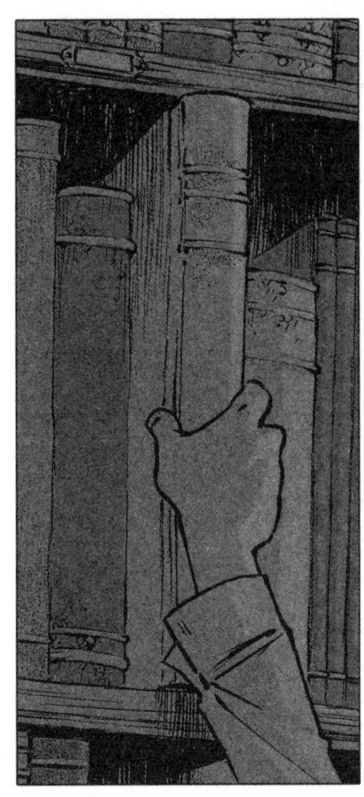

REGARDE, OMBRE.
Le petit Chaperon Rouge

LIS ÇA, C'EST TRÈS INTÉRESSANT ! L'HISTOIRE DU PETIT CHAPERON ROUGE EST UNE PARABOLE SUR LE THÈME DES PREMIERS RAPPORTS SEXUELS...
?
LA COULEUR ROUGE SANG DE L'HÉROÏNE N'EST PAS INNOCENTE, PUISQU'ELLE SYMBOLISE LA PERTE DE LA VIRGINITÉ.

QUANT AU LOUP, IL REPRÉSENTE L'HOMME D'EXPÉRIENCE, LE "PRÉDATEUR SEXUEL".
FWAP
FWAP

HUM...
EUH... SINON, J'AI TROUVÉ CE LIVRE SUR LES DÉMONS ET LES SUCCUBES POUR COMPLÉTER LA BIBLIOGRAPHIE DE CHANCE...

PARFAIT ! C'EST PLUTÔT FACILE DE TROUVER DES OUVRAGES RELATIFS AU DIABLE ET AUX DÉMONS.

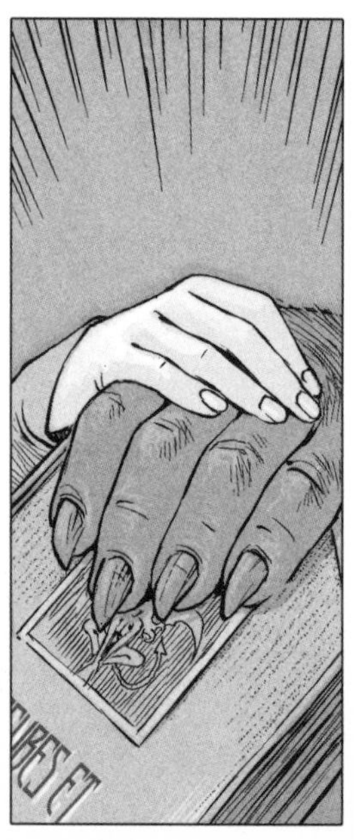

...

KYAAAAAAAAAAAAAAAAAA!!!
QU'EST-CE QUE C'EST, CETTE FOIS ?

IL Y A UN PERVERS DANS LES TOILETTES !!!
ÇA SE PASSE DU CÔTÉ DES DAMES. VAS-Y, CHANCE !

PAAARDON.
QUEL IMMONDE PERSONNAGE ! JE VAIS PORTER PLAINTE !

CHANGELIN ! BON SANG, MAIS COMMENT T'AS FAIT POUR TE METTRE DANS UN TEL ÉTAT ?
ON M'A COGNÉ DESSUS AVEC UN BALAI À CHIOTTE !

C'EST BON, K. JE GÈRE LA SITUATION.
O.K., MERCI.

WOOSH

WOOSH
WOOSH
HI HI.

QU'EST-CE QUI TE FAIT RIRE ?
- SWIF -
QUELLE IDÉE DE SE TRANSFORMER EN HOMME DANS LES TOILETTES POUR FEMMES !

À MOINS QUE
JE NE TE VOIE LÀ
SOUS TA VÉRITABLE
APPARENCE ?

QUE...
COMMENT ?
QUOI ?
J'AI DEVINÉ
JUSTE ?

EN FAIT
T'ES UN MEC

... DE NAISSANCE.
MAIS JE PRÉFÈRE
ÊTRE UNE FILLE, C'EST
POUR ÇA QU'À L'ÉCOLE
JE PRENDS TOUJOURS
CETTE IDENTITÉ.

LE SOUCI, C'EST QUE LA MÉTAMORPHOSE
CONSOMME BEAUCOUP D'ÉNERGIE.
JE N'ARRIVE PAS À RESTER TRANSFORMÉ
TOUTE LA JOURNÉE.
J'IMAGINE QUE ÇA NE
POUVAIT PAS DURER ?
MAINTENANT, MON
SECRET EST FICHU...

NON. JE NE VOIS
PAS EN QUOI.
...
TU NE VAS
RIEN DIRE ?
MÊME À TES
COPAINS DE LA
"TEAM SCOUDIBOU" ?

JE NE DIRAI RIEN,
MAIS RÉPÈTE
ENCORE UNE
FOIS CE NOM
RIDICULE ET TU
VERRAS...

TU ES SÉRIEUSE ?
TON SILENCE NE ME
COÛTERA RIEN ?
EH BIEN
...

DISONS QUE JE SERAIS BIEN MOINS
TENTÉE DE TOUT RACONTER SI J'APPRENAIS,
DE MANIÈRE TOUT À FAIT FORTUITE,
DES INFORMATIONS PLUS "CROUSTILLANTES"...
SI TU VOIS CE QUE JE VEUX DIRE...

WHOA !

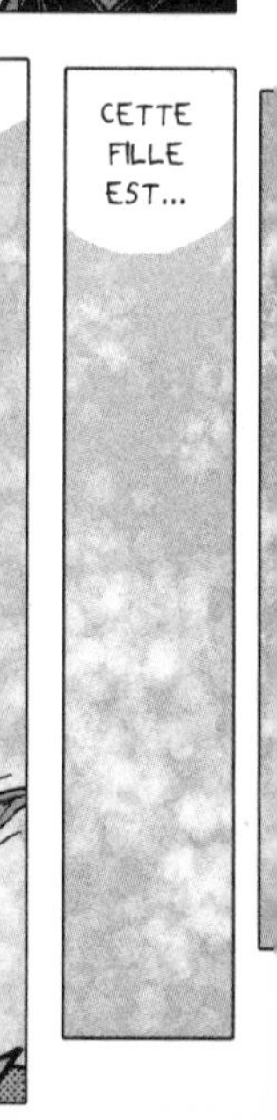
CETTE
FILLE
EST...

LE SOIR MÊME, AUX ALENTOURS DE 20H30.
APRÈS NOS RECHERCHES SUR INTERNET ET À LA BIBLIOTHÈQUE UNIVERSITAIRE, ON A PU DÉGROSSIR UN PLAN POUR L'EXPOSÉ.

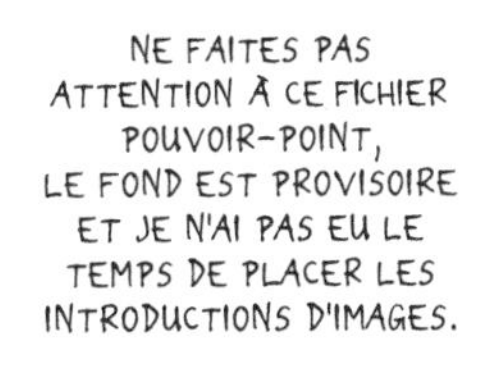
NE FAITES PAS ATTENTION À CE FICHIER POUVOIR-POINT, LE FOND EST PROVISOIRE ET JE N'AI PAS EU LE TEMPS DE PLACER LES INTRODUCTIONS D'IMAGES.

PAD
C'EST DÉJÀ TRÈS BIEN COMME ÇA. C'EST BIEN MIS EN PAGE ET C'EST LISIBLE.

SI J'AI BIEN COMPRIS, ON VA ORIENTER NOTRE SUJET SUR LES ANTIHÉROS ?
EXACTEMENT !

PENDANT NOS RECHERCHES, ON A RAPIDEMENT CONSTATÉ QUE NOS PROFILS CORRESPONDAIENT À CEUX DES MÉCHANTS DE SERVICE.
OMBRE ET TOI ENTREZ CLAIREMENT DANS LA CATÉGORIE "VILAIN", VOIRE "CRAIGNOS MONSTER". DU COUP, ÇA A ÉTÉ TRÈS SIMPLE D'ORIENTER MA BIBLIO SUR LES PROFILS QUI ME CORRESPONDENT TOUT EN RESTANT DANS L'AXE D'ÉTUDE QUE NOUS NOUS SOMMES FIXÉS.
À PRÉSENT, IL FAUT VOIR CE QU'ON PEUT EN TIRER DE POSITIF.

AH ! LES PÂTES SONT CUITES !
DRIIIIIIIIII
O.K. ! ON REPRENDRA APRÈS MANGER !

CHAUD DEVANT ! PÂTES À LA CARBONARA !
MAIS J'Y PENSE. SI ON A GALÉRÉ POUR TROUVER DES HÉROS HISTORIQUES AUXQUELS ON AURAIT PU SE RACCROCHER, J'IMAGINE MÊME PAS POUR GUNTHER ET SON GROUPE !
HA HA HA !

BON APPÉTIT !

IL Y A DEUX SORTES DE PÂTES, C'EST NORMAL ?
J'AVAIS DEUX PAQUETS D'OUVERT ET AUCUN D'EUX N'ÉTAIT ASSEZ REMPLI POUR FAIRE UN PLAT POUR TROIS.

ALORS ? C'EST DÉLICIEUX, N'EST-CE PAS ?
HUM ! LAISSE-MOI DEVINER... TU AS FAIT CUIRE TOUTES LES PÂTES DANS LA MÊME CASSEROLE.
TCHAA!
OUI, J'AVAIS BESOIN D'UNE CASSEROLE POUR LA SAUCE ET COMME VOUS N'AVEZ QUE DEUX PLAQUES ÉLECTRIQUES DANS LA PARTIE COMMUNE DE VOTRE ÉTAGE, J'AI DÛ FEINTER.

LES CANNELLONIS CUISENT EN NEUF MINUTES ET LES TAGLIATELLES EN TROIS MINUTES. CE QUI FAIT TRÈS EXACTEMENT SIX MINUTES DE CUISSON POUR LE TOUT. INGÉNIEUX, N'EST-CE PAS ?
9+3 / 2 = 6

MA BOUCHE EST PRÊTE POUR CETTE EXPLOSION DE SAVEUR. LA CRÈME, LES LARDONS, LE PARMESAN ET LES PÂTES RÉALISANT L'ALCHIMIE PARFAITE.

...
ALORS ?

TIENS OMBRE. TU AS L'AIR D'AVOIR UNE FAIM DE LOUP ET MOI, JE CALE !
MOI AUSSI JE CALE.
MERCI LES FILLES, J'AVAIS LES CROCS ! CHANCE, TON PLAT EST SUCCULENT ! C'EST QUOI TON SECRET ?

...
BLU BLU

LES TAGLIATELLES ÉTAIENT EN PURÉE ET LES CANNELLONIS CROQUAIENT. C'ÉTAIT À VOMIR.
LA SAUCE ÉTAIT BONNE.

C'EST CERTAINEMENT CE QUI SAUVE TON PLAT AU GOÛT DE CERTAINS...
?
-MIUM-
-MIAM-

...
FWAP FWAP

QU'EST-CE QUE TU FABRIQUES ?
T'ES DANS LA LUNE...
TON TEMPS DE RÉACTION A ÉTÉ ANORMALEMENT ÉLEVÉ...

QU'EST-CE QU'IL S'EST PASSÉ À LA BIBLIOTHÈQUE PENDANT QUE J'ÉTAIS PAS LÀ ?

RIEN DU TOUT.
MAIS TU AURAIS BIEN AIMÉ QU'IL SE PASSE QUELQUE CHOSE ?
MIAM, MIAM !

PEUT-ÊTRE.
HÉ HÉ, EXCELLENT, C'EST LA JOURNÉE DES SECRETS. TU DEVINERAS JAMAIS CE QUE J'AI APPRIS TOUT À L'HEURE.

...
SHHHHH

COMMENT ? AMANITE FAIT UNE CURE DE TÉNIA ? ON EST BIEN EN TRAIN DE PARLER DES VERS SOLITAIRES ?
OUI, C'EST MOCHE, HEIN ?
MAIS POURQUOI ? IL FAUT ÊTRE DINGUE POUR EN AVALER VOLONTAIREMENT !

FIGURE-TOI QUE C'EST POUR PERDRE SES KILOS SUPERFLUS.
FLOC FLOC
OÙ EST-CE QUE TU ES ALLÉE RAMASSER UN TEL BISCUIT SUR ELLE ?

J'AI MES SOURCES ...
VOUS ÊTES SÛRES QUE VOUS N'EN VOULEZ PAS ?
OUI OUI, ON A CE QU'IL FAUT ET LA CRÈME C'EST MAUVAIS POUR LA LIGNE...

ET VOILÀ !

BWAAAAAA...
IL NE NOUS RESTERA PLUS QU'À RÉDIGER L'INTRO ET LA CONCLUSION.
BWAAA...

CROTTE ! J'AI RATÉ LE DERNIER TRAM, JE VAIS DEVOIR RENTRER À PIED JUSQU'À MA CHAMBRE DE BONNE, EN VILLE...
!!
ZIIIII
FLASH
CLIC

VOUS POUVEZ RESTER DORMIR ICI, SI VOUS VOULEZ.
ÇA VA PAS DÉRANGER ?

C'EST INTERDIT PAR LE RÈGLEMENT INTÉRIEUR, MAIS IL Y A TOUJOURS UN OU DEUX VISITEURS QUI VIENNENT DORMIR DANS LES PARTIES COMMUNES DU CAMPUS. DU COUP, TOUT LE MONDE A PRIS L'HABITUDE DE NE PAS FAIRE DE BRUIT LE MATIN. ILS ONT MÊME INSTALLÉ UN DISTRIBUTEUR DE BROSSES À DENTS AU REZ-DE-CHAUSSÉE. CE SOIR, C'EST MOI QUI AI RÉSERVÉ LE SALON DONC VOUS POUVEZ RESTER SANS AUCUN PROBLÈME.

CECI DIT. JE PEUX PRÊTER DES AFFAIRES À CHANCE, MAIS JE N'AI RIEN POUR TOI OMBRE...
PAS D'INQUIÉTUDE !

J'AI PRIS L'HABITUDE DE TOUJOURS AVOIR DES SOUS-VÊTEMENTS DE RECHANGE SUR MOI !
C'EST ROYAL !
MAIS COMMENT IL FAIT POUR METTRE SES FRUSQUES DANS UN TEL ÉTAT ?

TU M'AS L'AIR D'AVOIR SOIGNEUSEMENT PLANIFIÉ NOTRE SOIRÉE ICI. QU'EST-CE QUE ÇA CACHE ?

C'EST-À-DIRE QUE...
IL Y A EFFECTIVEMENT UNE TRÈS BONNE RAISON...

WHEYIIII !!!!
LA RAISON, LA VOILÀ ...

C'EST TA CHAMBRE ?
CELLE QUE JE PARTAGE AVEC AMANITE, ET C'EST COMME ÇA PRESQUE TOUS LES SOIRS.

HEY ! MAIS C'EST OMBRE QU'EST LÀ !
HIPS ! COMME TU AS DE GRANDES DENTS !

ET COMME TU AS UNE GROSSE...
TOUCHE

WHAHAHAHA !!
CLAC

HAHAHAHA !
Z'AVEZ VU SA TÊTE ?
SA TÊTE DE CHIEN BATTU ?
WHAHHAHA !!

BON SANG ! PAS MOYEN DE DORMIR !
DIS XIONG MAO, TU VEUX PAS DIRE À TA CAMARADE DE CHAMBRE DE BAISSER LE SON ?
ON A DÉJÀ ESSAYÉ, MAIS LES HUMEURS DE LA "PRINCESSE" NE SE DISCUTENT PAS.

"PRINCESSE" ?
AMANITE EST LA FILLE DU PLUS GROS ACTIONNAIRE DE NOTRE ÉCOLE. ELLE A CERTAINS PRIVILÈGES DONT CELUI DE FAIRE DU TAPAGE NOCTURNE.
LES EXCLUS DE SES PETITES FÊTES ONT DÉVELOPPÉ TOUTES SORTES DE STRATÉGIES POUR S'ÉLOIGNER DE LA CHAMBRE MAUDITE.

ET CE SOIR, ON A LE SALON RIEN QUE POUR NOUS... ÇA VOUS DIT UNE PETITE PARTIE DE CARTES AVANT D'ALLER SE COUCHER ?
FLAP FLAP

ZZZZZZ...

ZZZ...

- CLEC -
ATELIER

SHH

TING
TING
TING

QU'EST-CE QU'ELLE FAIT LÀ-DEDANS ?
TING
TING
TING
TING

- SHKLING -
ET VOUS ! QU'EST-CE QUE VOUS FAITES ICI, À UNE HEURE PAREILLE ?
?
TING
TING
TING
TING
TING
TING

C'EST DANGEREUX DE SE PROMENER LA NUIT DANS CE CAMPUS.
TING
TING
TING
TING
- SHKLING -
- SHKLING -

ON NE SAIT JAMAIS QUELLE RENCONTRE ON PEUT Y FAIRE...
VOUS... JE VOULAIS VOUS PRÉVENIR ...
- SHKLING -
- SHKLING -
TING
TING
TING

LES AUTRES ÉLÈVES RACONTENT DES CHOSES AFFREUSES SUR VOTRE COMPTE ! J'AI VOULU LEUR PROUVER QU'ILS AVAIENT TORT, QUE VOUS ÊTES UN HOMME BIEN ! MAIS...
TING
TING
TING
TING
TING

LAISSEZ-LES RACONTER TOUT CE QU'ILS VEULENT, POURVU QUE ÇA LES DISSUADE DE SORTIR LA NUIT DANS L'ENCEINTE DE LA FACULTÉ.
TING
TING
TING
TING

VOUS DEVRIEZ RENTRER VOUS COUCHER, CE N'EST PAS UN ENDROIT POUR VOUS.
TING
TING
ET NOTRE AMIE QUI EST À L'INTÉRIEUR DU BÂTIMENT, ELLE PEUT RESTER ICI ?

LE BRUIT DU MÉTAL CONTRE LE MÉTAL ÉLOIGNE LES ESPRITS ÉGARÉS ET ELLE CONNAÎT LES LIEUX PAR CŒUR POUR Y ÊTRE VENUE PRATIQUEMENT TOUTES LES NUITS DEPUIS PLUS DE DEUX MOIS...
VOUS N'AVEZ PAS À VOUS EN FAIRE POUR ELLE.
TING
TING
TING

SUIVEZ MON CONSEIL. ALLEZ VOUS COUCHER.
TING
TING
TING
- SHKLING -

VOUS PARTEZ DÉJÀ ?
TING
TING
TING
TING
DITES-NOUS AU MOINS VOTRE NOM.

FUNÉRAILLES... C'EST COMME ÇA QU'ON M'APPELLE.
TING
TING
TING
TING
- SHKLING -
- SHKLING -

TING
TING
TING
TING
- SHKLING -
- SHKLING -
- SHKLING -

...
TING
TING
TING
TING
J'AI DU MAL À COMPRENDRE XIONG MAO.

LE SALON EST UN ENDROIT CALME POUR DORMIR. LOIN DE LA FÊTE D'AMANITE.
TING

TING
TING
ALORS POURQUOI SE LEVER EN PLEINE NUIT ?

TING
TING
TING
TING

TING
TING
NG
PEUT-ÊTRE QU'AMANITE N'A RIEN À Y VOIR.

D
D

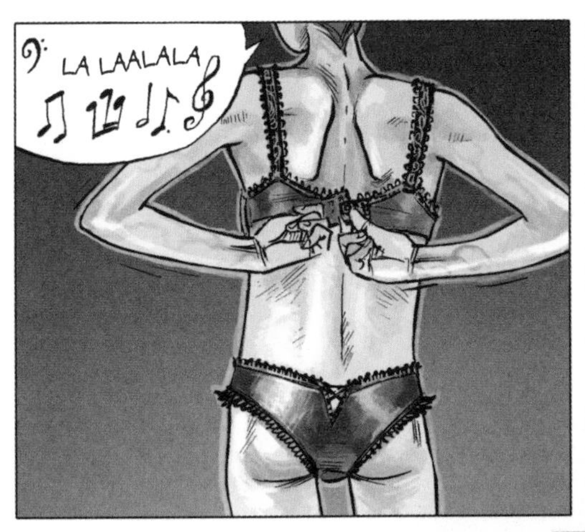
LA LAALALA

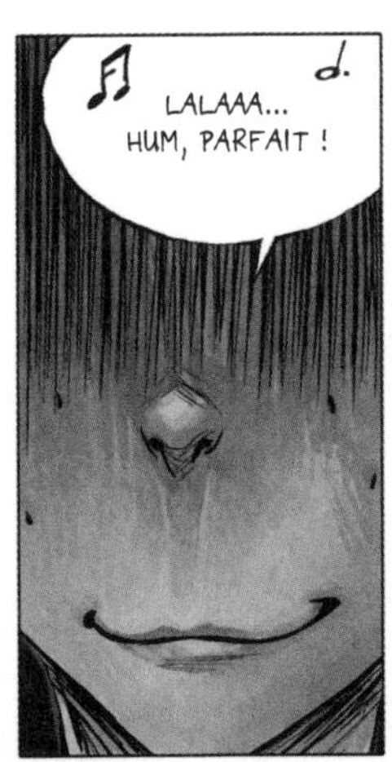
LALAAA...
HUM, PARFAIT !

ET MAINTENANT, LA TOUCHE FINALE...
SI SEULEMENT JE POUVAIS...

RESSEMBLER À CHANCE COMME DEUX GOUTTES D'EAU SE RESSEMBLENT.
BWUM

FUM... PAS MAL.

VOILÀ, C'EST MIEUX COMME ÇA !...
BOEING
BOEING BOEING

"BONJOUR, JE SUIS CHANCE !"

...

RHAAA ! ÇA VA PAS !

C'EST BIEN SON VISAGE, MAIS SON CORPS EST COMPLÈ-TEMENT DIFFÉRENT !

ELLE EST TELLEMENT PLUS NATURELLE... JE NE PEUX PAS L'INVENTER.
IL FAUT QUE JE LA VOIE NUE ! SANS ÇA, LA COPIE NE SERA JAMAIS PARFAITE.

VOUS ÊTES PARFAITS !

VOUS AVEZ TOUT COMPRIS AU SUJET DE CETTE ÉVALUATION, "LE NOIR C'EST CHIC", TOUT EN CONSERVANT VOTRE IDENTITÉ !
DE SURCROÎT, VOTRE TRIO EST IDÉALEMENT COMPOSÉ DE DEUX GARÇONS ET D'UNE FILLE. C'EST TOTALEMENT TENDANCE ! JE VOUS METS L'EXCELLENTE NOTE DE 17/20 !

VOILÀ ! TRÈS SIMPLE MAIS TERRIBLEMENT EFFICACE, LA THÉMATIQUE FILM D'ÉPOUVANTE FONCTIONNE À TOUS LES COUPS. ET JE VOIS QUE VOUS AVEZ TRAVAILLÉ LA POSE. 16/20 LES ENFANTS !

VOILÀ UNE PERLE, LE TRIO DE FEMMES FATALES EST TOUJOURS VENDEUR ! TELLES LES ANGES DE CHARLIE DE LA FANTASY.

JE CONSTATE QUE VOUS AVEZ SU METTRE EN VALEUR VOS PERSONNALITÉS RESPECTIVES, MESDEMOISELLES.

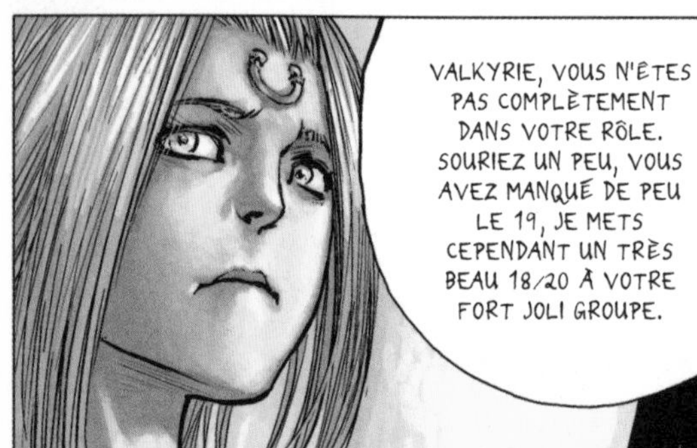
VALKYRIE, VOUS N'ÊTES PAS COMPLÈTEMENT DANS VOTRE RÔLE. SOURIEZ UN PEU, VOUS AVEZ MANQUÉ DE PEU LE 19, JE METS CEPENDANT UN TRÈS BEAU 18/20 À VOTRE FORT JOLI GROUPE.

QUANT À VOUS TRÔAAAAAAA...
...

A-T-ON DÉJÀ VU ÇA ? UN TRIO AVEC DEUX FILLES ET UN LOUP... VOS COSTUMES SONT RIDICULES ET ILS NE SONT MÊME PAS ACCORDÉS ENSEMBLE.
MAIS SI... PSS CHUU... ON EST LES DARK KNIGHTS. PSS CHUU... JE SUIS DARK VADUR.
ET MOI, DARK TAGNAN.
ET MOI, JE SUIS JEANNE DARK.
MMM... PEU IMPORTE. VOUS MANQUEZ CRUELLEMENT D'ARGUMENTS, SURTOUT VOUS, MESDEMOISELLES.

JE VOUS DONNE UN 7/20 À PEINE MÉRITÉ. SI VOTRE GROUPE AVAIT COMPTÉ UNE FILLE DE PLUS, ON AURAIT AU MOINS PU VOUS APPELER "LE GRAND MÉCHANT LOUP ET LES TROIS PETITES COCHONNES".
MWHAAAAAAAAA
MÉCHANT ? MOI ? PSS CHUU...
ERPS !

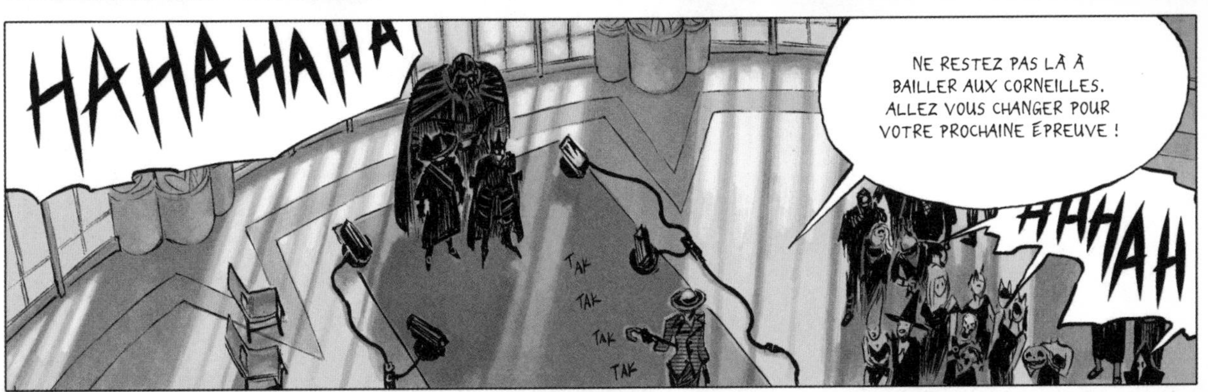
HAHAHAHA
NE RESTEZ PAS LÀ À BAILLER AUX CORNEILLES. ALLEZ VOUS CHANGER POUR VOTRE PROCHAINE ÉPREUVE !
HAHAH
TAK
TAK
TAK
TAK

KLONK
BLA. BLA BLA.
BLA. BLA ?

BLA !
BLABLA ?
IL FAUT BIEN ADMETTRE QU'ELLE A RAISON, DES HÉROÏNES EN ARMURE INTÉGRALE C'EST PAS VENDEUR.
BLA. BLA...
SI SEULEMENT ON N'AVAIT PAS BOUSILLÉ NOS COSTUMES LORS DE LA CHASSE AU MONSTRE... ON AURAIT EU UNE MEILLEURE NOTE QU'AVEC CES DÉGUISEMENTS IMPROVISÉS.

J'AI FAIT LES COMPTES. AVEC TOUTES LES MAUVAISES NOTES QU'ON A ACCUMULÉES CE SEMESTRE, IL NOUS FAUDRA AU MOINS UN 17/20 EN STRATÉGIE.

J'AI BIEN PEUR QUE CE SOIT NOTRE DERNIÈRE CHANCE DE VALIDER CE SEMESTRE.
ON PEUT REPASSER LES MATIÈRES QU'ON A RATÉES, NON ?

DÉJÀ PRIS EN COMPTE... SI ON N'A PAS 17 À LA PROCHAINE ÉPREUVE, ON N'EST MÊME PAS CANDIDAT AU RATTRAPAGE.

?
EN MÊME TEMPS, LA STRATÉGIE, C'EST MA SPÉCIA...

HÉ CHANCE ! TU M'ÉCOUTES UN PEU ?

COUVRE-TOI, ON NOUS REGARDE !
COMMENT ÇA ? IL N'Y A QUE LES FILLES DE LA CLASSE.

QUE DES FILLES...
PEUT-ÊTRE BIEN...

MAIS QU'EST-CE QUI T'A PRIS TOUT À L'HEURE ? T'AS TOUT FICHU PAR TERRE, ESPÈCE DE GROSSE TRUIE SANS CERVELLE !

ON A PERDU UN POINT À CAUSE DE TOI ET DE TON MANQUE DE CONCENTRATION !
MAIS... C'EST QUE ...

J'AVAIS PAS ENVIE DE PORTER LE COSTUME DE "CONINA LA GUERRIÈRE"... TU M'AVAIS PROMIS QUE JE POURRAIS PORTER CE QUE JE VOUDRAIS.

TU PARLES DU COSTUME QUE TU T'ES BRICOLÉE ? MAIS IL TE VA PAS DU TOUT !
POURTANT, ELLE EN A MIS DU TEMPS POUR CONFECTIONNER SA ROBE...
COMMENT TU SAIS ÇA, TOI ?

JE L'AI AMÉLIORÉ DEPUIS LA DERNIÈRE FOIS ! J'AI PRÉPARÉ UNE INTRODUCTION MAGIQUE...
C'EST PAS UNE INTRODUCTION QUI VA SAUVER TON DÉGUISEMENT !

TON PROBLÈME, C'EST QUE T'ES QU'UNE GROSSE VACHE !
ALORS TU VAS TE CONTENTER DES RÔLES DE GUERRIÈRE QU'ON VEUT BIEN TE REFILER !

BWOUHOU ! PERSONNE NE ME COMPREND !

...

HÉ LES FILLES ! J'AI UNE BONNE NOUVELLE !
L'ÉPREUVE DE STRATÉGIE EST REPORTÉE. À LA PLACE CET APRÈS-MIDI, L'ÉCOLE NOUS OFFRE UNE SORTIE AUX BAINS EN VILLE.

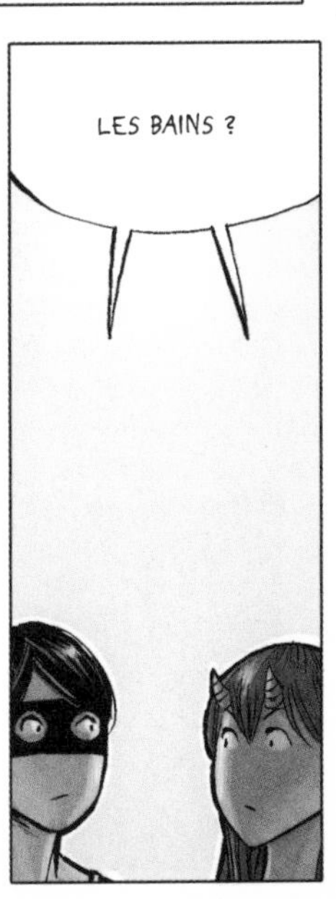
LES BAINS ?

J'AI HÂTE D'Y ÊTRE !
IL PARAÎT QUE LES BAINS SONT GRANDIOSES !

J'AI ENTENDU DIRE QUE L'ÉCOLE AVAIT RÉSERVÉ TOUT LE BÂTIMENT UNIQUEMENT POUR NOTRE PROMO.

RIEN QUE POUR NOUS...

CHAPITRE 4
À BOUT DE SQUEELE
WOUHA, LA STATION BALNÉAIRE EST IMMENSE !

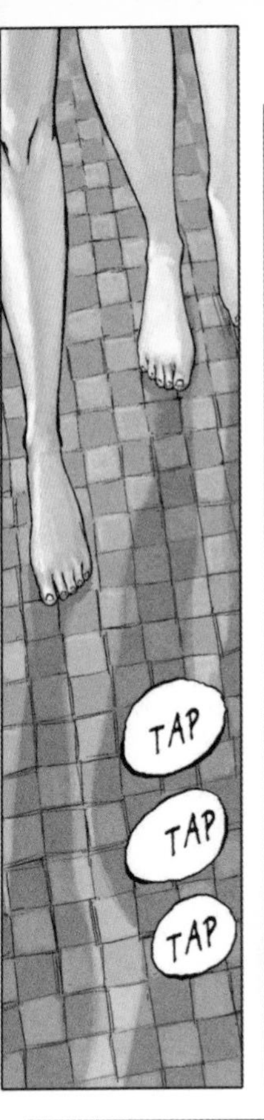
TAP
TAP
TAP

C'EST... MAGIQUE.

DOMMAGE QU'OMBRE NE SOIT PAS LÀ... ÇA AURAIT ÉTÉ PLUS SYMPA D'EN PROFITER ENSEMBLE.

D'UN AUTRE CÔTÉ, JE SUIS PAS MÉCONTENTE QU'ON SOIT ENTRE FILLES.
PARCE QUE NOUS AVONS SEULEMENT CES PARÉOS POUR VÊTEMENT.

POUR FINIR, LA SEULE CHOSE QUI NOUS SÉPARE DES GARÇONS C'EST CE MUR... C'EST PEU DE CHOSE POUR LES EMPÊCHER DE VENIR SE RINCER L'ŒIL. VU LE CONCENTRÉ DE POUVOIR QUE REPRÉSENTE TOUTE UNE PROMO DE JEUNES SUPER-HÉROS, ILS VONT BIEN TROUVER UNE SOLUTION...
RHOOO ! QU'EST-CE QUE T'ES NÉGATIVE !

VIENS PLUTÔT PROFITER DE L'EAU, ELLE EST SUPER BONNE !

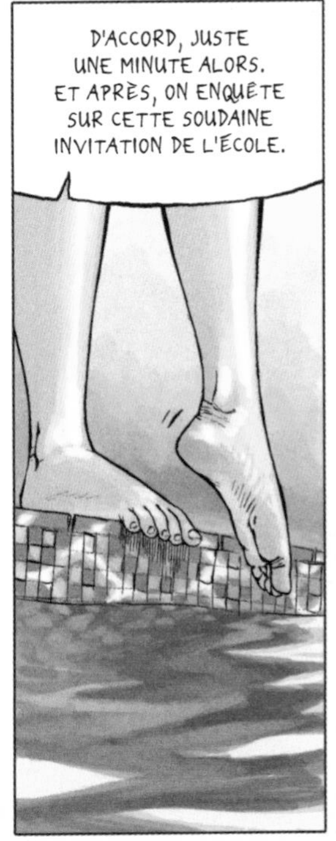
D'ACCORD, JUSTE UNE MINUTE ALORS. ET APRÈS, ON ENQUÊTE SUR CETTE SOUDAINE INVITATION DE L'ÉCOLE.

TOUT ÇA EST TROP BEAU POUR ÊTRE...

HAAAAAA...
CETTE EAU EST À UNE TEMPÉRATURE IDÉALE.
FAUT SAVOIR SE DÉTENDRE DE TEMPS EN TEMPS !

PARDON. JE NE FAIS QUE PASSER.

J'AVAIS OUBLIÉ QU'IL Y AVAIT TOUTES LES FILLES DE PREMIÈRE ANNÉE.

OUI, NOUS SOMMES PLUS DE TROIS CENTS DANS CETTE PROMO, DONT PLUS DE LA MOITIÉ DE FILLES.
JE NE CONNAIS PRESQUE PERSONNE...

PAREIL POUR MOI... AVEC TOUT LE BOULOT QU'ON A EU, J'AI À PEINE EU LE TEMPS DE RENCONTRER LES ÉLÈVES DES AUTRES CLASSES.
MAIS LÀ TOUT DE SUITE, JE CROIS QUE JE VAIS ENCORE PROFITER UN PEU DE L'EAU...

CHERS TÉLÉSPECTATEURS VOUS REGARDEZ *HERO ACADEMY* EN DIRECT SUR WK9 !
L'ÉMISSION FANTASTIQUE QUI NE S'INTÉRESSE QU'AUX FUTURS HÉROS FANTASTIQUES.
AUJOURD'HUI, NOUS ALLONS PROFITER DU CADRE MAJESTUEUX DES BAINS POUR DÉCOUVRIR LES JEUNES RECRUES DE LA F.E.A.H., CETTE ÉCOLE QUI FORME DES HÉROS DANS L'OMBRE DE LA CÉLÉBRISSIME FACULTÉ SAINT-ANGE.

ALLONS SURPRENDRE CES ÉTUDIANTES PENDANT UN DE LEUR RARE MOMENT DE DÉTENTE...

J'APERÇOIS LÀ-BAS DE DÉLICIEUSES CANDIDATES POUR UNE INTERVIEW.

BLUB
BLUB

QU'EST-CE QUE CETTE ÉQUIPE TÉLÉ FAIT ICI ?
PFWAH !

J'EN ÉTAIS SÛRE ! L'ÉCOLE EST BIEN TROP RADINE POUR PAYER UNE SORTIE À TOUTE LA PROMO SANS ARRIÈRE-PENSÉE...

TU VEUX DIRE QUE NOUS AVONS ÉTÉ MANIPULÉES AFIN D'APPARAÎTRE À L'ÉCRAN EN PETITE TENUE ?
OUI ! ET J'AI BIEN PEUR QUE CE NE SOIT QUE LA PARTIE ÉMERGÉE DE L'ICEBERG.

IL FAUT QU'ON BOUGE, C'EST DEVENU RISQUÉ DE TRAÎNER ICI...
WOUPS !
WOOSH

QU'EST-CE QU'IL Y A ?
J'AI GLISSÉ SUR UN TRUC... LE CARRELAGE SE FAIT LA MALLE ?

REGARDE ÇA ! C'EST DANGEREUX, QUELQU'UN AURAIT PU SE BLESSER !

IL Y A QUELQUE CHOSE D'ÉCRIT DESSUS...
ÇA EXPLIQUE CERTAINEMENT COMMENT S'ESSUYER LE POPOTIN AVEC DE LA FAÏENCE.

NON... C'EST PAS ÇA DU TOUT.
BAH OUI, JE SAIS BIEN. J'ÉTAIS PAS SÉRIEUSE.

PERSONNE NE DOIT NOUS VOIR EN POSSESSION DE CET OBJET.
ATTENDS, J'AI PAS EU LE TEMPS DE TOUT LIRE !

OÙ EST-CE QU'ON VA ?

TU POURRAIS ME DONNER UN INDICE ?
TAP TAP TAP

D'ACCORD... ÇA CONCERNE LE PARTIEL DE STRATÉGIE.

C'EST DÉSERT... ON VA POUVOIR DISCUTER.

TIENS, LIS ÇA ATTENTIVEMENT.

"L'ÉVALUATION DE STRATÉGIE OBÉIT AUX RÈGLES SUIVANTES : LOI 1, NE PERDEZ PAS VOTRE PARÉO SANS QUOI VOUS SEREZ ÉLIMINÉ(E), VOTRE COMPTE DE POINTS PERSONNELS SERA GELÉ (VOIR LOI 3) ET VOUS NE POURREZ PLUS PARTICIPER À L'ÉPREUVE..."

"LOI 2, SUBTILISEZ LES PARÉOS DES AUTRES PARTICIPANT(E)S DE CETTE ÉPREUVE, CHAQUE PARÉO RAPPORTANT UN POINT À LA NOTE SUR 20 ATTRIBUÉE À VOTRE GROUPE DE T.P. LOI 3, À CHAQUE FOIS QUE VOUS RÉCUPÉREZ UN PARÉO, VOUS GAGNEZ IMMÉDIATEMENT 50 %* DES POINTS DE SON EX-PROPRIÉTAIRE, QUI PAR CONSÉQUENT VOIT SON COMPTE DIVISÉ PAR DEUX.
* ARRONDI À L'INFÉRIEUR
NB : PLUSIEURS EXEMPLAIRES DE CE CARREAU SONT DISSÉMINÉS À L'INTÉRIEUR DU BÂTIMENT."

C'EST... C'EST BIEN CE QUE JE CROIS ?
LE PARTIEL DE STRATÉGIE N'A PAS ÉTÉ ANNULÉ ?

EXACTEMENT, NOUS SOMMES EN PLEIN DEDANS. ILS NOUS ONT MENÉS EN BÂTEAU EN NOUS FAISANT MIROITER UNE SORTIE DÉTENTE EN BALNÉO.

N'IMPORTE QUI PEUT NOUS SAUTER DESSUS POUR NOUS PIQUER NOS FRINGUES...
DEVANT LES CAMÉRAS DE TÉLÉ.

OUI, C'EST PRÉCISÉMENT POUR ÇA QU'ON VA ALLER DU CÔTÉ DES MECS POUR TROUVER OMBRE. IL N'Y A QUE LUI QUI PUISSE GÉRER UNE ÉMEUTE.
SI ON VEUT TENIR TÊTE AUX AUTRES ÉQUIPES, ON DOIT ÊTRE TOUS LES TROIS ENSEMBLE.
CLICLI

TOUT CE QUE J'ESPÈRE, C'EST QUE TOUT VA BIEN POUR OMBRE...
FWHAAAAAA...

UN BON BAIN CHAUD, Y A QU'ÇA D'VRAI !

SURTOUT, PRENDS UN AIR DÉCONTRACTÉ.
ON VA PASSER PAR LES VESTIAIRES POUR ACCÉDER AUX BAINS HOMMES.

C'EST BON, ON DIRAIT QUE PERSONNE NE NOUS A SUIVIS...
Vestiaires

NOUS Y VOILÀ !
VRRR

ON VIENT DE FAIRE LE PLUS...
!
VRRRP

DIFFICILE.
SALUT LES FILLES !
VOUS VOULIEZ PARTIR ? QUEL DOMMAGE QUE VOUS NOUS QUITTIEZ DÉJÀ, IL Y A TELLEMENT DE CHOSES À VOIR ICI ...

AMANITE ! QUELLE AGRÉABLE RENCONTRE ...
ELLE EST SEULE, ON POURRAIT COMMENCER PAR LUI PIQUER SON PARÉO ?

ON NE FAISAIT QUE PASSER, À PLUS !
MAIS...
VOUS PARTEZ DÉJÀ ?

VAL, NE LES LAISSE PAS SORTIR, NOUS AVONS ENCORE DES CHOSES À NOUS DIRE...

J'EN DÉDUIS QUE TU AS TROUVÉ LE CARREAU.
MIEUX QUE ÇA, MA CHÉRIE ...

IL Y A DE ÇA UNE SEMAINE, J'AI APPRIS DE SOURCE SÛRE QUE CETTE SORTIE EN DEHORS DE L'ÉCOLE ÉTAIT BIDON...

J'AI DONC EU TOUT LE LOISIR DE PRÉPARER CETTE JOURNÉE.
CRUUI

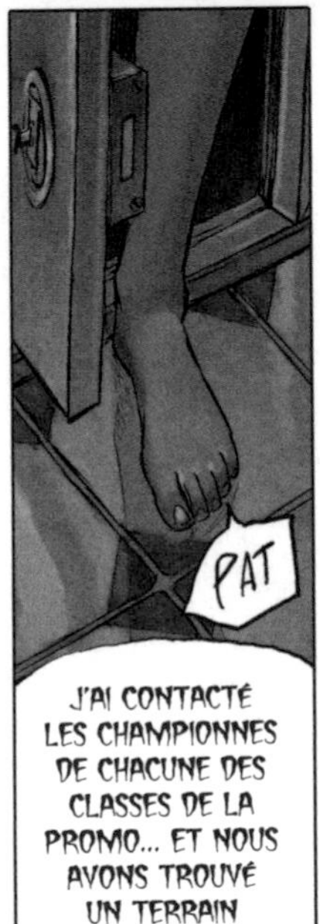
PAT
J'AI CONTACTÉ LES CHAMPIONNES DE CHACUNE DES CLASSES DE LA PROMO... ET NOUS AVONS TROUVÉ UN TERRAIN D'ENTENTE.

PLUTÔT QUE DE NOUS ENTRETUER POUR NOS PARÉOS, NOUS ALLONS FAIRE NOS POINTS TOUT SIMPLEMENT EN DÉPOUILLANT LES PLUS FAIBLES.
DES FAIBLES COMME VOUS, PAR EXEMPLE,. N'EST-CE PAS UNE IDÉE GÉNIALE ?
SORRY CHANCE, C'EST LE JEU !
CHERS TÉLÉ-SPECTATEURS, QUELLE RÉVÉLATION !

VALKYRIE, ATTRAPE-LES QU'ON EN FINISSE.

DÉSOLÉE ...

SWAA

?
SHAP
MAIS, QUE ?

JE SAIS POUR TON COSTUME MAGIQUE, VAL...

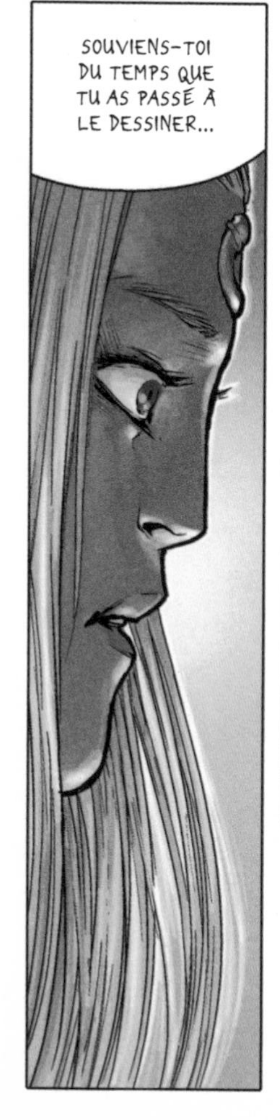
SOUVIENS-TOI DU TEMPS QUE TU AS PASSÉ À LE DESSINER...

TOUTES CES NUITS À COUDRE ET À CHERCHER LA BONNE FORMULE MAGIQUE POUR QU'IL SOIT PRÊT LE MOMENT VENU...
EST-CE QUE TU RÉALISES QUE C'EST CERTAINEMENT TON UNIQUE CHANCE DE LE MONTRER AU MONDE ENTIER... NE LAISSE PERSONNE TE VOLER CET INSTANT.

...
HÉ VAL, TU PEUX TE GROUILLER ?!! ON N'A PAS TOUTE LA JOURNÉE !

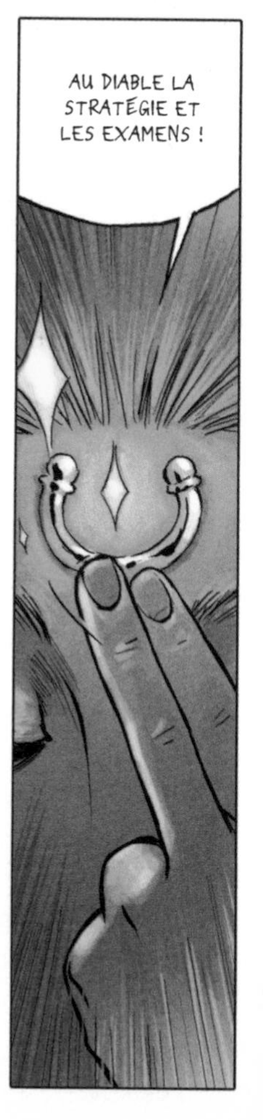
AU DIABLE LA STRATÉGIE ET LES EXAMENS !

PAR LE POUVOIR DE L'AMOUR ANCESTRAL !
DRELIN
SHAH
JE DÉTIENS LA GRÂCE TOUTE PUISSANTE.
J'ESPÈRE QUE T'AS HONTE D'AVOIR MANIPULÉ CETTE PAUVRE FILLE ?
HA HAAAA ! TU VERRAS QU'ELLE VA ME REMERCIER POUR CE QUE J'AI FAIT !
QUELLE PLAIE !
QUELLE RÉVÉLATION, CHERS TÉLESPECTATEURS ! CETTE ÉTUDIANTE VIENT DE SE MÉTAMORPHOSER SOUS NOS YEUX !
KTSHING
CETTE VALKYRIE EST CERTAINEMENT LA PLUS IMPOSANTE *MAGICALGIRL* QU'ON N'AIT JAMAIS VU !
HÉ, VOUS DEUX ! PAS SI VITE !

LES SAVONETTES !

ÇA VA LES RALENTIR !
WIZ WIZ WIZ WIZ

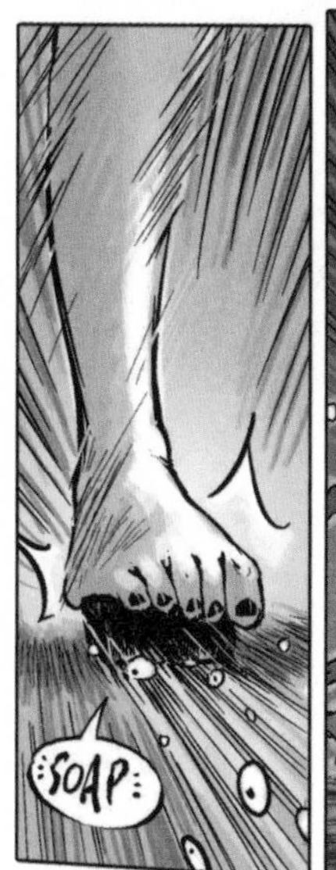
SOAP

ZIP
YAIIIIIIIIII !!!
ZIP
ZIP

LAKABONG

LES SALOPES !!!
POK !

WASH
!

VLOOOARB !
VOUS CROYIEZ QU'ON ALLAIT SE LAISSER FAIRE ?

WOOSHIIIII
FONCE, CHANCE ! JE VAIS PAS POUVOIR LES RETENIR LONGTEMPS COMME ÇA !
VA VITE PRÉVENIR OMBRE !
NON, J'AI UNE MEILLEURE IDÉE !

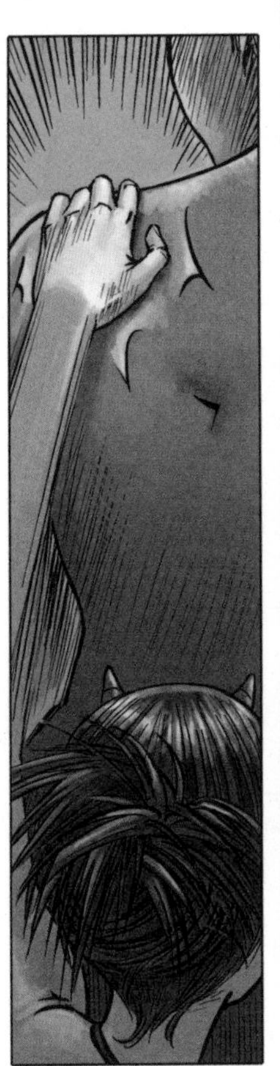

ÉCOUTEZ-MOI TOUTES ! EN CE MOMENT MÊME, IL SE TRAME UN COMPLOT DONT VOUS ÊTES LES VICTIMES !
NOUS SOMMES AU BEAU MILIEU D'UN EXAMEN DE STRATÉGIE OÙ POUR MARQUER DES POINTS IL FAUT RÉCUPÉRER DES PARÉOS.
LES ÉLITES DE CETTE PROMO SE SONT LIGUÉES ENTRE ELLES, AFIN DE NOUS ÉCRASER ET NOUS OPPRIMER !

ALORS ON VA SE SERRER LES COUDES ET TRAVAILLER ENSEMBLE POUR CONTRE-CARRER L'ADVERSITÉ !

BON SANG, MAIS QU'EST-CE QU'ELLE FAIT ?
UNE ÉNORME BOURDE !

BZZZZZZZZZZZ
TOUTES...

ENSEMBLE.
ELLE A DIT QU'IL FALLAIT VOLER DES SERVIETTES ?

CHERS TÉLÉSPECTATEURS, CE QUI SE DÉROULE SOUS NOS YEUX EST TOUT SIMPLEMENT ÉDIFIANT !
MONTE UN PEU LE SON, PATRON !

DE TOUTE MA CARRIÈRE, JE N'AVAIS JAMAIS VU UNE TELLE PAGAILLE !

IN-DES-CRIP-TIBLE ! C'EST LE MOT !
POURQUOI LES GRANDES FILLES, ELLES ARRACHENT LEURS VÊTEMENTS ?

CES JEUNES FEMMES DÉCHAÎNÉES ONT UN UNIQUE OBJECTIF COMMUN !

CELUI DE SE METTRE MUTUELLEMENT À NU ! À NU !!

MONSIEUR LE DIRECTEUR, JE VIENS DE RECEVOIR LES PREMIÈRES ESTIMATIONS DU TAUX D'AUDIENCE...
QUEL COMBAT ACHARNÉ ! CES FILLES SONT IMPITOYABLES ENTRE ELLES !

NOUS SOMMES PASSÉS À 35 % D'AUDIMAT. AVEC UN TEL SCORE, LA CHAÎNE WK9 SERA DANS L'OBLIGATION D'ACCEPTER NOTRE OFFRE D'EXCLUSIVITÉ. VOTRE IDÉE DE TRANSFORMER UN BANAL PARTIEL EN ÉVÈNEMENT MÉDIATIQUE EST ADMIRABLE !
MERCI... CEPENDANT...

ILS N'ONT ENCORE RIEN VU. TOUT LE SEL DE CETTE OPÉRATION VA ÊTRE RÉVÉLÉ D'ICI PEU.
LÀ, NOUS ALLONS FAIRE EXPLOSER LES COMPTEURS !

POW
RRH !!!

LES GARS !
BWÔK

ON
POURRAIT...

DISCUTER PLUS CALMEMENT DE
CE QUE VOUS ME VOULEZ ?
SWOOCH
BAM
BAM

WOOSH
SHHH
LÀ, VOUS M'OBLIGEZ
À COGNER ET J'AIME
PAS ÇA !

SWAK

TIMBER!

TOUS DESSUS !
CELUI QUI PEUT LUI
CHOPE SA SERVIETTE !

OH LÀ, OH LÀ,
OH LÀÀAA !!!

C'EST PAS TRÈS CHARITABLE DE SE METTRE À QUINZE CONTRE UN !

SURTOUT SI C'EST POUR LUI IMPOSER VOS PRATIQUES... DÉVIANTES...
VOUS AVEZ RIEN PANNÉ AU SUJET, ALORS BARREZ VOUS D'LÀ, LES VILLAGE PEOPLE !
GRR...

QWÂÂÂ ? RÉPÈTE UN PEU VOIR, COMMENT TU NOUS AS APPELÉS ?

ALUCRADE ! TU DEVRAIS PEUT-ÊTRE PAS...
VILLAGE PEOPLE ! TU VEUX QUE J'TE LE DISE EN QUELLE LANGUE ?

VI... VILLAGE PEOPLE ?
GWOOO

YAAAH !
BROAN
BERK ! ON VOIT SON TRUC !

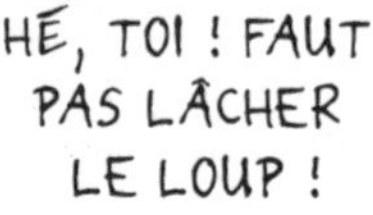
L'ESPÈCE DE SALAUD ! MÊME LÀ, ÇA S'EST TRANSFORMÉ...

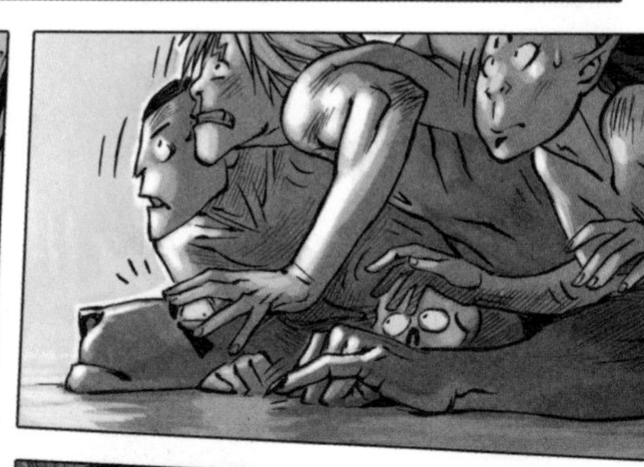

ZHAM
IGNITION !

HÉ, TOI ! FAUT PAS LÂCHER LE LOUP !

HEIN ? QUOI ?
???
WAP

YAUUUUUUUUU
ROAR!!
BASTON
GÉNÉRALE
!!!!

BKAM
CLEC
CLEC
CLEC
CLEC
CHACAL ! JE VAIS TE BOTTER LE DERRIÈRE !
CRUSH
PRENDS ÇA !
BANG !
METEOR GUN !

TAKA TAKA TAKA
AOUTCH !
ARGH !

TSCHUITS

?!!

CHOP

NON ! ATTENDS, ON PEUT NÉGOCIER ?

GRUMPF !
GWHAAA !
ZGOUIIIBLLL

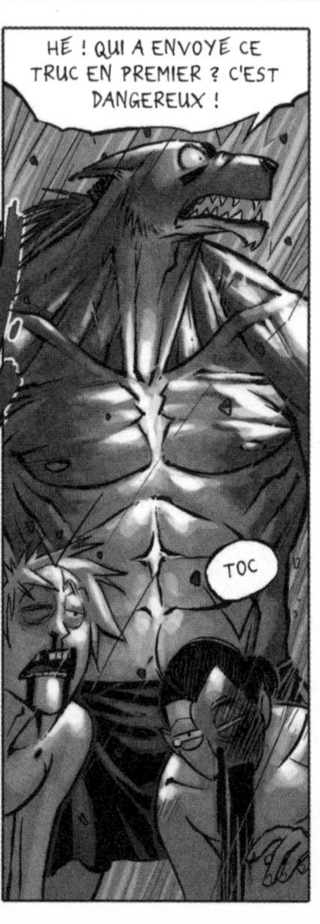
HÉ ! QUI A ENVOYÉ CE TRUC EN PREMIER ? C'EST DANGEREUX !
TOC

...

CREC
KRRRRRR

CRRUMBLE
-WOUPS-

J'ESPÈRE QUE L'ÉCOLE A SOUSCRIT À UNE BONNE POLICE D'ASSURANCE...

?
ATTENDEZ... JE V... JE VOIS QUELQUE CHOSE DERRIÈRE LES DÉCOMBRES.

I... IL Y ...

IL Y A DES FILLES.

JE ME SENS DÉJÀ MIEUX, LES GARS !
CE... CE N'EST PAS TOUT...

BON ALORS, T'ACCOUCHES ?
EL... ELLES ...

ELLES S'ARRACHENT MUTUELLEMENT LEURS VÊTEMENTS !
MORTEL !
POURQUOI ELLES FONT ÇA ?
TROP COOL !
LE TRIP TOTAL !

CHERS TÉLÉSPECTATEURS, TOUT UN PAN DE CE MUR VIENT DE S'EFFONDRER !
...
OPINIÂTRES ET PUGNACES, NOS JEUNES HÉROÏNES CONTINUENT À SE BATTRE POUR DES PARÉOS. RIEN NE PEUT LES DÉTOURNER DE LEUR MISSION !

MAIS QUE SE PASSE-T-IL ?! NOUS ASSISTONS À UNE SCÈNE SURRÉALISTE !
?
??
??

LA BRÈCHE ENTRE LES DEUX BAINS EST EN TRAIN DE LITTÉRALEMENT VOMIR UNE HORDE DE GARÇONS.

SWOOO

CHANGELIN, ÉCOUTE-MOI !
GAP

TU AS ENTENDU ? LES GARÇONS ONT BRISÉ LE MUR, ILS SONT EN TRAIN DE SE RÉPANDRE DE NOTRE CÔTÉ.
TU CROIS PAS QU'ON A MIEUX À FAIRE QUE SE BATTRE ?

LES GARÇONS JE M'EN FICHE, JE PEUX ÊTRE L'UN D'EUX SI ÇA ME CHANTE.
PAR CONTRE, J'ATTENDS CET INSTANT DEPUIS TOUJOURS, CHANCE...

JE VAIS ENFIN POUVOIR TE CONTEMPLER INTÉGRALE-MENT NUE...

DE QUOI ELLE PARLE ? ELLE EST DEVENUE FOLLE ?
ON DIRAIT... ET JE SUIS L'OBJET DE SA PSYCHOSE.

FINI DE DISCUTER ! CES SERVIETTES SONT À MOI !

TWAP

AÏE !

TU NOUS CROYAIS SANS RESSOURCE ?
PARFAIT ! J'AIME QU'ON ME RÉSISTE !
STOP !
JE T'AI LAISSÉ TA CHANCE. MAINTENANT, IL FAUT QU'ON PASSE À LA VITESSE SUPÉRIEURE !
O.K...
ZUUUM
VOUS SAVEZ QUE VOUS COMMENCEZ À SÉRIEUSEMENT ME COURIR SUR LE HARICOT ?
RASSURE-TOI, ON N'EN PENSE PAS MOINS DE VOUS DEUX...

À CAUSE DE VOUS, LES ÉLITES ET LES VILAINES SE BATTENT DANS L'ANARCHIE LA PLUS TOTALE, ET À PRÉSENT QUE LES MECS ONT DÉBARQUÉ, IL EST HORS DE QUESTION DE REMETTRE UN SEMBLANT D'ORDRE LÀ-DEDANS. MON PLAN "A" EST UN FIASCO !

J'EN DÉDUIS QUE TU AS UN PLAN "B".

EXACT ! UN BON STRATÈGE A TOUJOURS UN PLAN DE SECOURS.

JE N'AI PAS CHÔMÉ LORSQUE J'AI APPRIS OÙ DEVAIT SE DÉROULER LE PARTIEL D'AUJOURD'HUI...

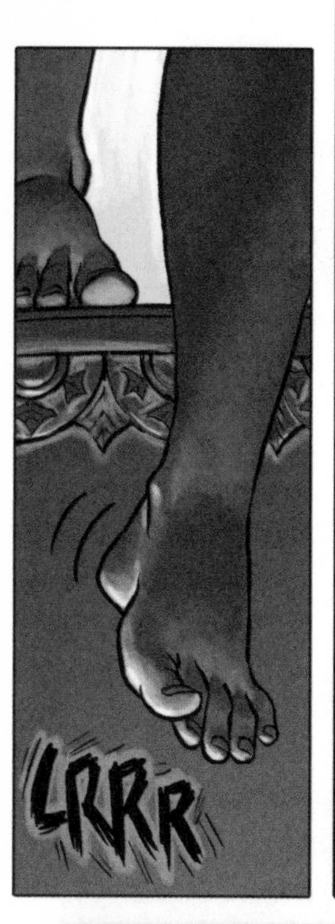
LRRR

ET VOILÀ, TU VOIS COMME ÇA PEUT ÊTRE UTILE DE SAVOIR SE MONTRER PRÉVOYANTE ?
SAUF QUE, AVOIR LE SUJET À L'AVANCE ET VENIR BALISER LES STATUES AVEC UN GLYPHE D'ANIMATION, C'EST DE LA TRICHE !

TU JOUES SUR LES MOTS. COMME C'EST MESQUIN ! MES MIGNONNES VONT T'APPRENDRE À VIVRE.

ATTRAPEZ-LES, QU'ON PUISSE ENFIN LEUR ARRACHER LEUR SERVIETTE !

KYAAAA !! T'AS PAS UNE IDÉE GÉNIALE POUR NOUS SORTIR DE LÀ ?
ARRÊTE DE PARLER ET COURS !

YEEEEEEEEEEEEEEEEEK !!!!

WOOOSH !!!

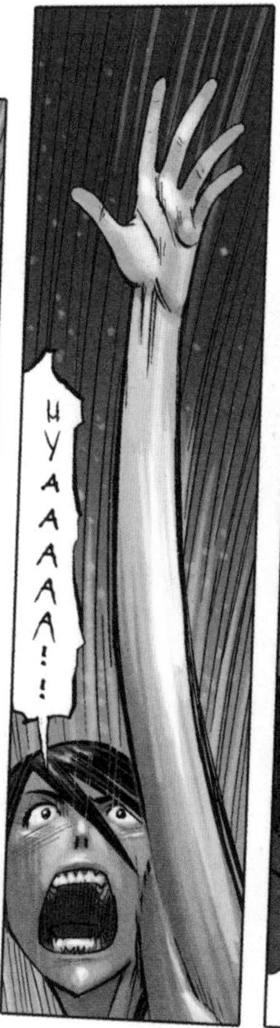
HYAAAAAA!!

ACCROCHE-TOI !

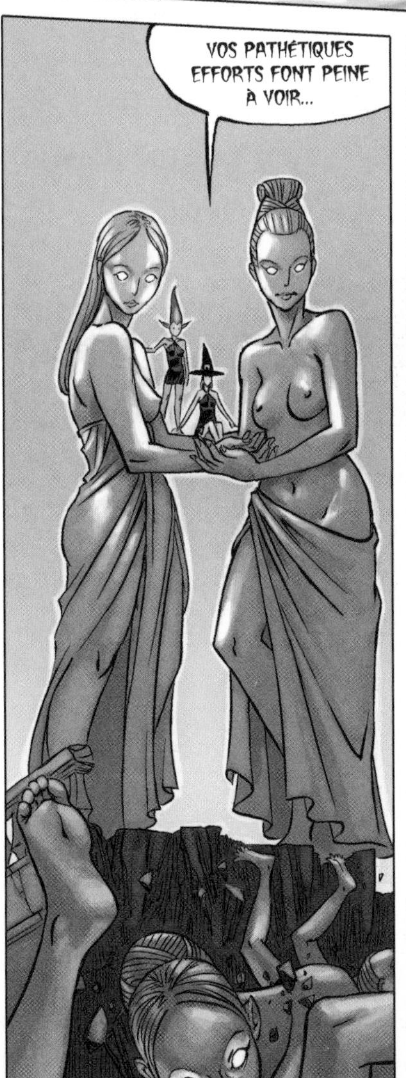
VOS PATHÉTIQUES EFFORTS FONT PEINE À VOIR...

ARRÊTE DE GIGOTER, C'EST PLUS DUR À TENIR !
EEEEEEEEEK !

CHANGELIN, ESPÈCE DE SALE TRAÎTRE ! QU'EST-CE QUE T'ATTENDS POUR NOUS AIDER ?!

TU VAS M'OBLIGER À RACONTER TON HISTOIRE À TOUT LE MONDE !

TOUT LE MONDE SE MOQUERA DE TOI, COMME ILS L'ONT TOUJOURS FAIT !

DE QUOI ELLE PARLE ?
...
ET TOUT RECOMMENCERA COMME AVANT !

COMME DANS LA COURS D'ÉCOLE PENDANT LA RÉCRÉ, OU DANS LES TOILETTES DE L'ÉCOLE !
ELLE T'A RACONTÉ TOUT ÇA ?
NON, J'INVENTE AU FUR À MESURE.

PROFITEZ-EN POUR DÉGUERPIR !
HÉ! QU'EST-CE QUE TU FICHES ?!!

LES GOLEMS SONT COMPLÈTEMENT PERDUS !
BRUNK
ON VA EN PROFITER POUR FILER !

SAUF QUE... J'ARRIVE PAS À NOUS HISSER ! C'EST TROP DUR !
PAS AVEC U SEUL BRAS

SI T'ES EN TRAIN DE SOUS-ENTENDRE QU'IL FAUT QUE JE ME SACRIFIE POUR QUE TU PUISSES SAUVER TES MICHES, TU PEUX TOUJOURS COURIR !
IL EST HORS DE QUESTION QUE JE TE LÂCHE !

Chapitre

Butterfly Twist

J'ALLAIS TE PROPOSER DE GRIMPER SUR MOI, MAIS PUISQUE TU LE PRENDS COMME ÇA, TU PEUX BIEN CREVER !
GNIYEEEEE

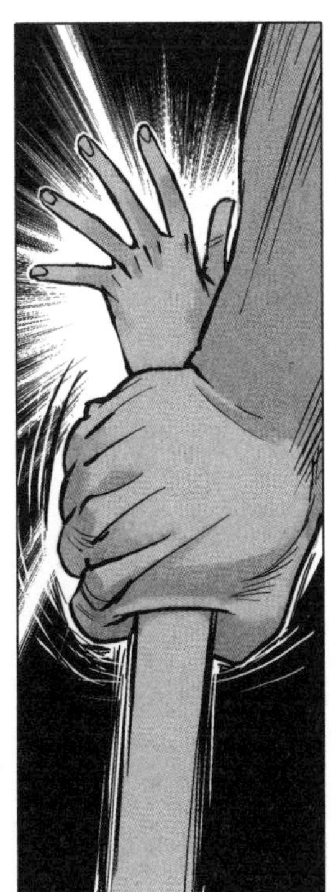

OMBRE !
LES FILLES ! J'AI EU DU MAL À VOUS RETROUVER !

SBIM
ZPÔ!

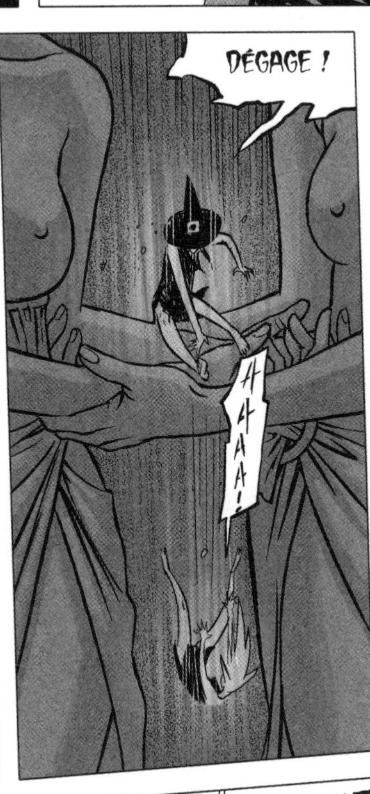
DÉGAGE !
AAAA!

GOLEMS ! PUNISSEZ CETTE GUEUSE !

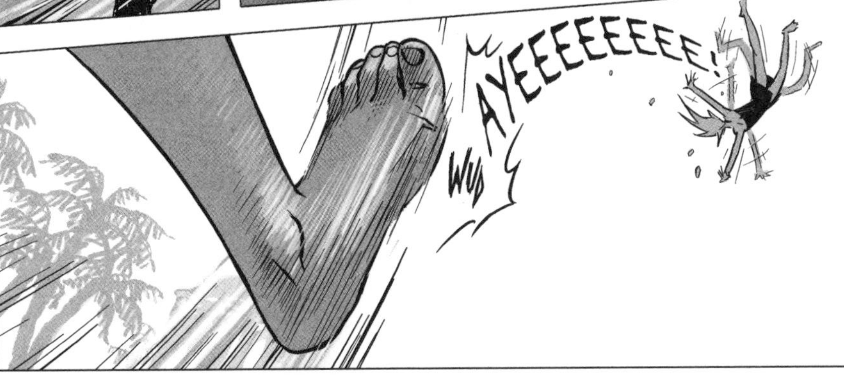
AYEEEEEEEE!
WUD

BON ! OÙ EST-CE QU'ELLES SONT PASSÉES ?

DISPARUES !
?!
BRLONG
KROC

GRRRRRRRR!
CRIC

ÇA CONTINUE DE BOUGER PAR LÀ-BAS...

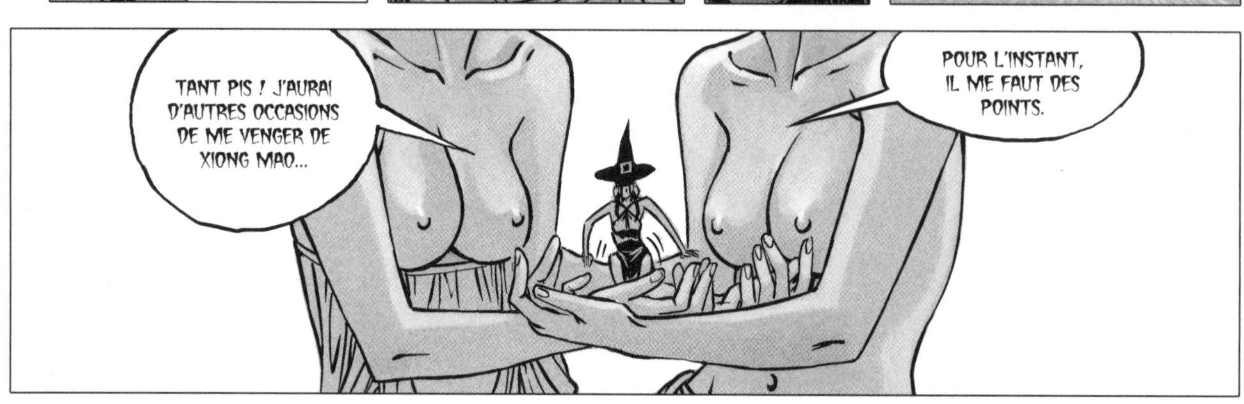
TANT PIS ! J'AURAI D'AUTRES OCCASIONS DE ME VENGER DE XIONG MAO...
POUR L'INSTANT, IL ME FAUT DES POINTS.

BRONK
...
BRONK
BRONK

OMBRE ! PETIT CABOTIN, ÇA FAIT PLAISIR DE TE VOIR ENCORE EN JEU !
EN JEU ? QUEL JEU ?
T'ES LE SEUL À PAS ÊTRE AU COURANT ? OU TOUS LES MECS IGNORENT QU'ON EST EN PLEIN EXAM ?

PSH PSH PSSH...

ÇA EXPLIQUE TOUT !
MOI QUI CROYAIS QU'ILS EN AVAIENT APRÈS MA CHASTETÉ !

ALORS IL FAUT QU'ON RÉCUPÈRE PLEIN DE PARÉOS SI ON VEUT AVOIR UNE BONNE NOTE ?
EXACT, ET ON EST À LA BOURRE.
COMPTE TENU DE NOTRE RETARD, IL NOUS RESTE DEUX SOLUTIONS...

SOIT ON PART À LA CHASSE AUX SERVIETTES...
SOIT ON JOUE SUR LA TROISIÈME LOI, C'EST PLUS RISQUÉ MAIS ON GAGNERA PLUS D'UN COUP.

CELA FAIT PLUS DE DIX MINUTES QUE LES GARÇONS ONT INVESTI LES BAINS DES FILLES.

CEUX QUI ONT ÉTÉ ÉLIMINÉS S'EN VONT HONTEUX, SOUS L'ŒIL DE NOTRE CAMÉRA.

SHWA
ET VOILÀ !
WISH

UNE DE PLUS !
TING

PLUS DE POINTS !
IL M'EN FAUT ENCORE PLUS !
NOOON !
KYAAAAA...
VENISE, ATTENTION À AMANITE, ELLE EST DANGEREUSE !
HEY !
O.K.
IL RESTE MALGRÉ TOUT BEAUCOUP D'ÉLÈVES POUR CONTINUER À METTRE LA STATION BALNÉAIRE SENS DESSUS DESSOUS !

CES JEUNES GENS SE BATTENT COMME SI LEUR VIE EN DÉPENDAIT.
FLOC

MWHAHAHAHAHA !
TRENTE-DEUX POINTS ! BIENTÔT, IL N'Y AURA PLUS ASSEZ DE PLACE SUR MON PARÉO POUR AFFICHER TOUTES LES ÉTOILES !

CRUK.

AMANITE, ESPÈCE DE GROS SAC À VERS !
QUI OSE ?!!

XIONG MAO !
BARREZ-VOUS !
ÇA CRAINT ICI !

TU TOMBES À PIC ! J'AVAIS DES CHOSES À TE DIRE...
TU CONNAIS DAVID ET GOLIATH ?
C'EST UNE HISTOIRE DE COWBOY GAY ?
PAS VRAIMENT.
SPLOF
CLAC
YAOUTCH !!
MAINTENANT !

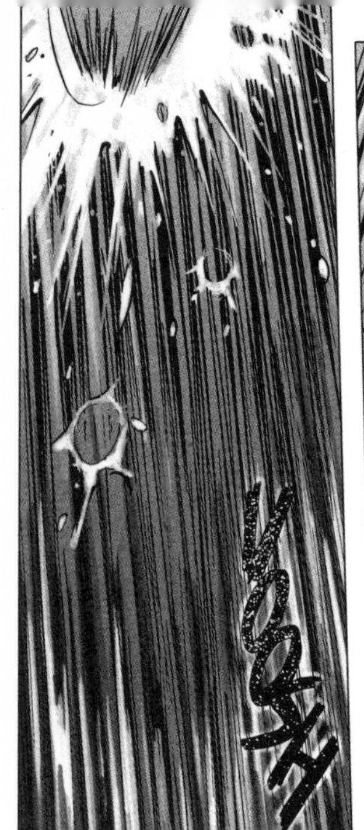
VOOSH

VOOSH
VOOSH
VOOSH

VERS L'INFINI...
ET AU-DELÀ !

WHEEEYII!!!!!

QUE ?
WO-TCHOP !
HA HA HA !!!
C'EST IN ZE
POCKET !
YEEEeeEEEK !
WUD

SEIZE POINTS D'UN COUP, C'EST UNE BONNE PIOCHE !
ON T'A PIQUÉ LA MOITIÉ DE TES POINTS, AMANITE. J'ESPÈRE QUE ÇA TE REND MALADE.
ET TOC !

VOUS AVEZ PEUT-ÊTRE GAGNÉ LA GUERRE, MAIS PAS ENCORE CETTE BATAILLE !

ELLE EST DISTRAITE LA PAUVRE...

ELLE A INVERSE "BATAILLE" ET "GUERRE".
MALHEUREUSEMENT ELLE A RAISON... LA BATAILLE NE FAIT QUE COMMENCER.

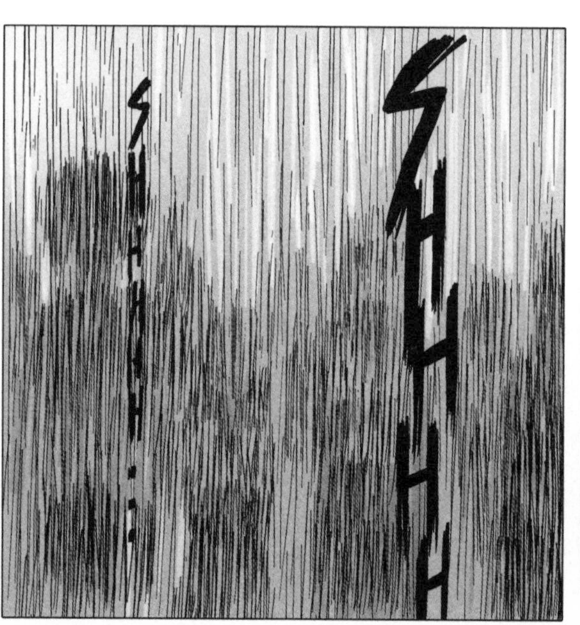

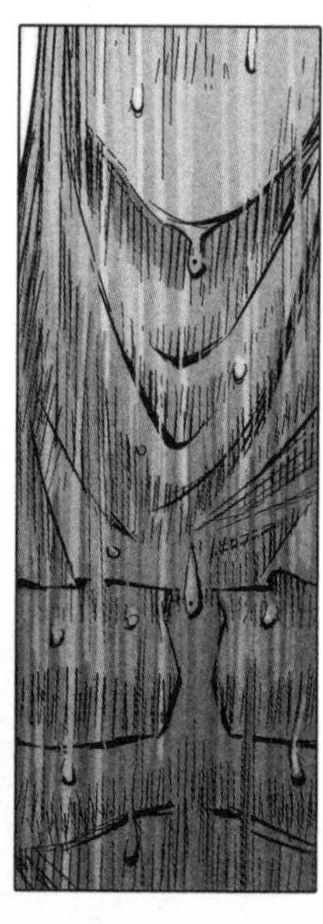

SEIZE POINTS... ÇA VEUT DIRE QU'ON PEUT EN GAGNER HUIT D'UN COUP...
C'EST UN BON PLAN ...

VOUS ÊTES PRÊTS À DÉFENDRE CE PARÉO ?
COMME JAMAIS !
ON VA LEUR METTRE LA PÂTÉE !

...

HÉ ! C'EST APRÈS MOI QU'ILS EN ONT TOUS !
BIEN SÛR, QU'EST-CE QUE TU CROYAIS ?

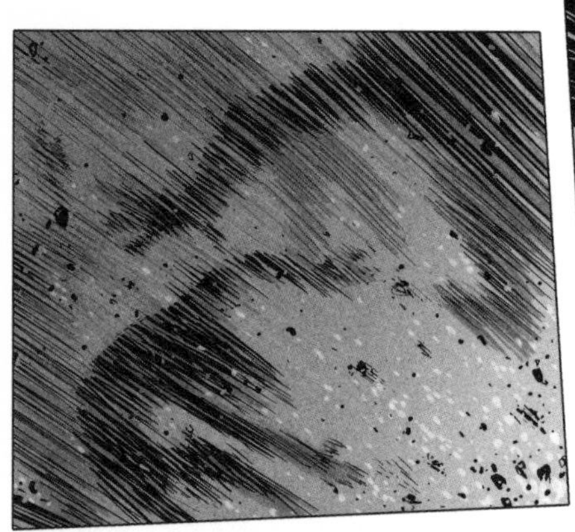

?

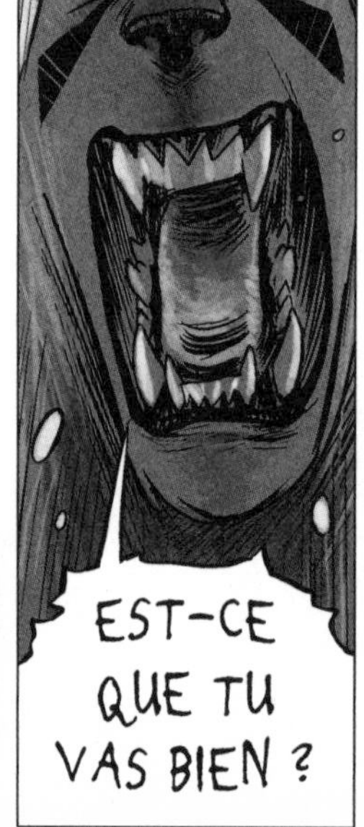

EST-CE QUE TU VAS BIEN ?

À PEU PRÈS.
MAIS C'ÉTAIT QUOI CETTE EXPLOSION ?

VDDDDDD

GWOOOW

BASH

OH NON ! PAS LUI !
MESDAMES ET MESSIEURS, VOILÀ QUELQU'UN QUI SAIT SOIGNER SON ENTRÉE !
C'EST UN BEAU SPÉCIMEN ! TU NOUS PRÉSENTES ?

BONJOUR, PETIT PANDA. C'EST UN BEAU JOUR POUR DES RETROUVAILLES ...
WAK
JE T'INTERDIS DE M'APPELER COMME ÇA !
POURQUOI ? C'EST MIGNON COMME SURNOM.
QUELLE VIOLENCE !
SAUF QU'IL NE S'AGIT PAS D'UN SURNOM. XIONG MAO PEUT SE TRADUIRE PAR OURS-CHAT AUTREMENT DIT: PETIT PANDA !
WAK
DIS-TOI QUE ÇA AURAIT PU ÊTRE PIRE !
ÇA ME REVIENT MAINTENANT, TU AS ESQUIVÉ LA QUESTION À NOTRE PREMIÈRE RENCONTRE !

TRÈVE DE PLAISANTERIE ! JE SUIS VENU POUR TE RAMENER CHEZ TOI, PETIT-PANDA !
PARDON ?

TON PÈRE NE SE REPRÉSENTE PAS AU POSTE DE DÉLÉGUÉ DU SYNDIC'. LES PROCHAINES ÉLECTIONS DOIVENT AVOIR LIEU DANS SIX MOIS ET TU DEVRAIS DÉJÀ COMMENCER À FAIRE CAMPAGNE.
IL EST TOUT NATUREL QUE LA PREMIÈRE FILLE DE LI GOU XIONG SE PRÉSENTE À SA SUCCESSION.
TU FABULES ! AUCUN ONCLE NE VOTERAIT POUR MOI. JE SUIS TROP JEUNE ET SURTOUT JE SUIS UNE FILLE.

TU SURESTIMES LE POIDS DES TRADITIONS, IL Y A D'ORES ET DÉJÀ TROIS TONTONS QUI SONT PRÊTS À TE DONNER LEUR VOIX.

CE QUI FAIT DE TOI LA CANDIDATE LA PLUS LÉGITIME.

POURQUOI ON A ARRÊTÉ DE SE BATTRE, AU FAIT ?
CHUUT, ÉCOUTE SINON TU VAS RIEN COMPRENDRE.
C'EST QUOI CETTE HISTOIRE D'ÉLECTION ?
ÇA ME REVIENT !

ÇA VA BIENTÔT FAIRE DIX-HUIT ANS QUE LI GOU XIONG EST À LA TÊTE DU SYNDIC', AUTREMENT DIT...
DE LA MAFIA D'EXTRÊME-ORIENT.
UN RAMASSIS DE CRAPULES.

MINCE ! TU CONNAIS PLEIN DE TRUCS !
ÇA VEUT DIRE QU'ELLE EST LA FILLE D'UN HOMME PUISSANT ?
C'EST PEU DE LE DIRE.

LA PLACE DE DÉLÉGUÉ EST TRÈS DISPUTÉE ET SOUMISE AU VOTE DES PARRAINS, QU'ON APPELLE PLUS COMMUNÉMENT LES "TONTONS". CHAQUE ÉLECTION DONNE LIEU À UNE BATAILLE SANGLANTE POUR LE POUVOIR.
ALORS ? QUE DÉCIDES-TU ?
...
JE RESTE.

QUOI ?! TU REFUSERAIS CETTE CHANCE ?

OUI, ET SANS REGRET ! TU VAS RENTRER À LA MAISON ET EXPLIQUER À MON PÈRE QUE JE NE VEUX PAS ME PRÉSENTER !
DIS-LUI AUSSI QUE JE NE VEUX PLUS REMETTRE LES PIEDS DANS CE NID DE VIPÈRES !

OMBRE, CHANCE, VENEZ... ON A UN COMBAT À TERMINER.
EN CAS DE REFUS, ON M'A ORDONNÉ D'UTILISER LA FORCE. NE M'OBLIGE PAS À EN ARRIVER À DE TELLES EXTRÉMITÉS !

XIONG MAO.

TU DEVRAIS RECONSIDÉRER SON OFFRE...

LA F.E.A.H. N'EST PAS UNE ÉCOLE RÉPUTÉE, RIEN À VOIR AVEC SAINT-ANGE, PAR EXEMPLE. ET MALGRÉ TOUT, ON PEINE À VALIDER NOTRE PREMIER SEMESTRE...
NOUS SOMMES SÛREMENT LES PIRES APPRENTIS HÉROS DE L'ANNÉE.
N'ÉCOUTE PAS CE GRAND DADET ! ON A RÉUSSI À HUMILIER AMANITE, C'EST LE PREMIER PAS VERS LA RÉUSSITE !

TU AS UNE CHANCE DE DEVENIR QUELQU'UN D'IMPORTANT...
RÉFLÉCHIS BIEN AVANT DE REFUSER.
ET LES EXAMENS...
COMMENT VOUS ALLEZ FAIRE SANS MOI ?

ON SE DÉBROUILLERA.
TU VAS NOUS MANQUER, SANS TOI ON EST FICHU ! QUI VA NOUS AIDER À FINIR L'ANNÉE ?

EMPLOYER LA FORCE, DIS-TU ? IL VA FALLOIR DÉMONTRER QUE TU ES CAPABLE D'ALLER JUSQU'AU BOUT DE TES MENACES !
PARCE QU'IL EST HORS DE QUESTION QUE JE QUITTE CETTE UNIVERSITÉ !

AINSI SOIT-IL !

MOI, WONG FEI LONG
HÉRITIER DE LA BOXE
DES NEUFS DRAGONS
CÉLESTES, JE TE DÉFIE !

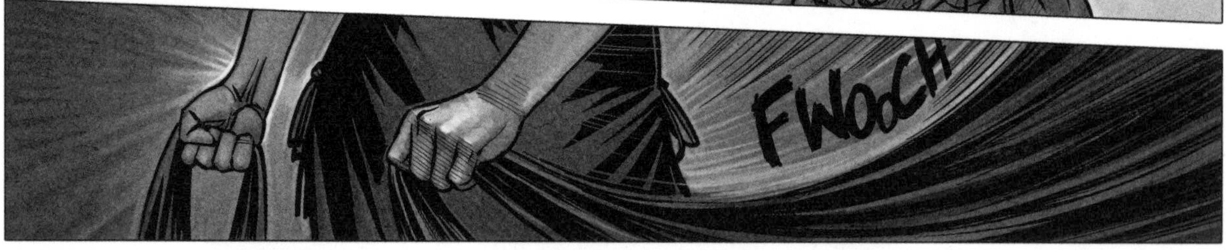
FWOOCH

OMBRE, TU VAS
CASSER LA TÊTE
DE CE TYPE,
D'ACCORD ?

SHR

UISH
UISH

JE NE PEUX PAS INTERVENIR.
C'EST UN COMBAT ENTRE
ELLE ET LUI...

MOI, LI XIONG MAO,
FILLE DE LI GOU XIONG,
J'ACCEPTE TON DÉFI !
UN DÉFI !
QUELLE TENSION
DRAMATIQUE !
WHOAAA !

TU TE SOUVIENS DE NOS COMBATS ?
TU ME FILAIS DES RACLÉES PAS POSSIBLE.
MAIS J'AI GRANDI DEPUIS...

SURTOUT, NE RETIENS PAS TES COUPS !
ÇA SERAIT T'INSULTER.

TAP

TOUTE L'ASSEMBLÉE RETIENT SON SOUFFLE, CHACUN A MIS L'ÉPREUVE DE STRATÉGIE DE CÔTE POUR OBSERVER LE COMBAT.
LA PRESSION EST ÉNORME POUR CETTE JEUNE FEMME QUI A MIS SA PLACE D'ÉTUDIANTE EN JEU DANS CE DÉFI.

WAP
FWOO

WUD
WUD

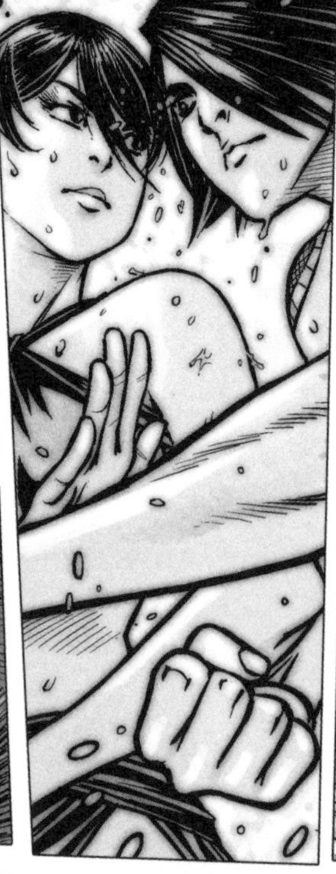

TRÈS BON KUNG-FU !
TU AS FAIT DES PROGRÈS !
WAT
WAT
WAT

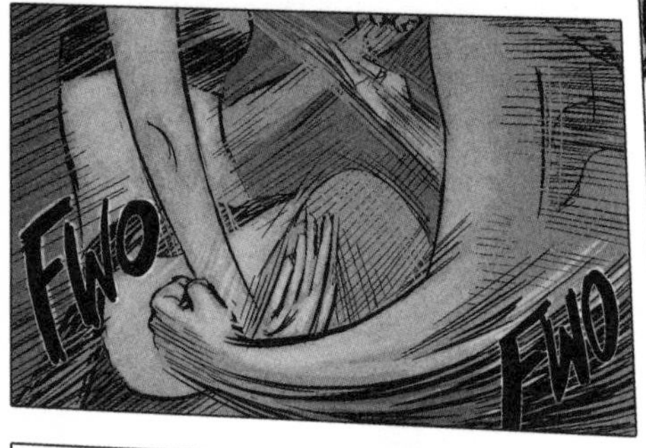
FWO
FWO

WHOA, ÇA ! ELLE ASSURE COMME UNE REINE EN CASTAGNE !
ELLE NOUS AVAIT CACHÉ SES SUPER-POUVOIRS, LA VILAINE !
ELLE N'A CACHÉ AUCUN SUPER-POUVOIR, PUISQUE ÇA N'EN EST PAS...

COMMENT ÇA ? C'EST PAS ASSEZ "SUPER" CE QUI SE PASSE DEVANT NOUS ?

DANS UN CERTAIN SENS, NON. CE SONT TOUS LES DEUX D'EXCELLENTS TECHNICIENS, MAIS ILS N'ONT FAIT APPEL À AUCUN TALENT SURNATUREL.
CE QUI EST EFFRAYANT, C'EST DE SAVOIR QUE L'EXPLOSION QUI NOUS A TOUS SOUFFLÉS EST L'ŒUVRE DU TATOUÉ...

BATS-TOI SÉRIEUSEMENT, FEI LONG !

WOOSH
MONTRE...

FOP

NOUS...

RASH!
TON VÉRITABLE POUVOIR !

PUISQUE TU INSISTES !
LA FUREUR DU DRAGON !
GHYAA

WAM!!

SHWOOO

TU VOIS ? QUAND TU VEUX...

BIEN ESQUIVÉ !

QU'EST-CE QUE C'ÉTAIT QUE CE TRUC ?!
OH-OOOH ! C'EST DONC LE FAMEUX TATOUAGE-TOTEM !

J'EN AI ENTENDU PARLER, MAIS C'EST BIEN LA PREMIÈRE FOIS QUE JE PEUX EN VOIR UN EN VRAI... SON POUVOIR DE DESTRUCTION EST STUPÉFIANT !

ABANDONNE, SI MON DRAGON T'AVAIT VRAIMENT TOUCHÉE TU SERAIS BONNE À RAMASSER À LA PETITE CUILLÈRE...

TU N'AS MÊME PAS DE TATOUAGE-TOTEM POUR TE PROTÉGER.
TU CROIS QUE JE L'IGNORE ?

IL A RAISON, XIONG MAO ! ÇA SERAIT DE LA FOLIE DE CONTINUER LE COMBAT !
ELLE VA FINIR EN PÂTÉE POUR CHIEN !

JE SAIS QUE JE JETTE UN VOILE DE HONTE SUR LA FAMILLE ! MOI, LA PREMIÈRE FILLE DU DÉLÉGUÉ, JE N'AI PAS ENCORE DE TOTEM À MON ÂGE AVANCÉ... JE N'AI MÊME PAS GAGNÉ MON NOM D'ADULTE !
FEI LONG, JE TE DEMANDE EN TANT QUE FRÈRE D'ARME, DE ME FAIRE HONNEUR...

BATS-TOI DE TOUTES TES FORCES.

...

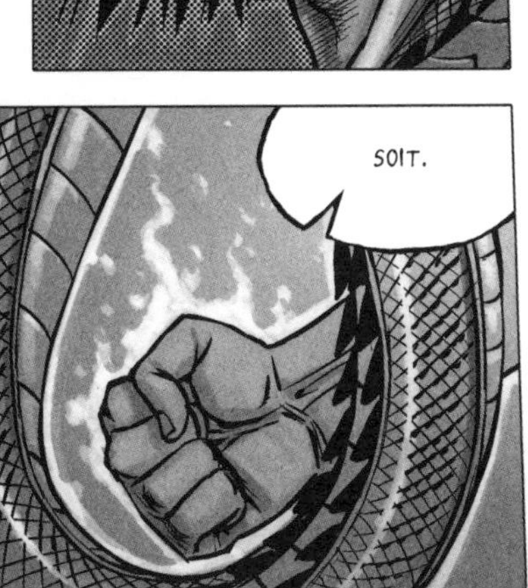
SOIT.

PAR LA FUREUR DU DRAGON !
TAP
TAP

GYAH
TAP

GHO?
YAAOOO
KRABAOUM!!

WHAAAAAAAAAA!!!

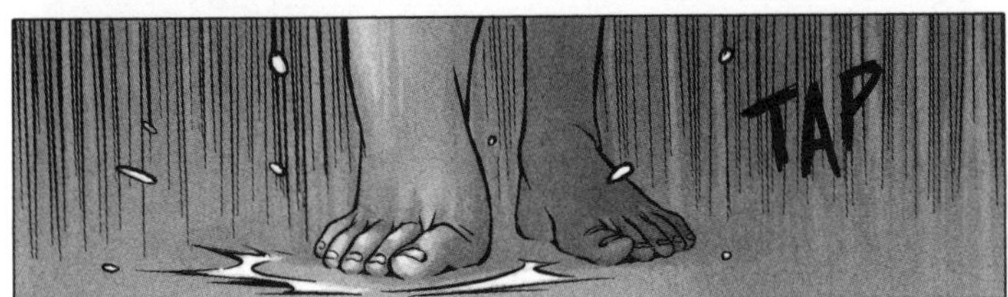
TAP

CETTE POSE, CE REGARD DE BRAISE... PAS DE DOUTE POSSIBLE, C'EST DU FLAMENDO !
"FLAMEN" QUOI ?
"KÜECHE" ?
NON, "DO".

CE COMBAT DEVIENT DE PLUS EN PLUS EXOTIQUE !
MOI QUI PENSAIS QUE CET ART MARTIAL AVAIT DISPARU...
AAAAÏE...
...SHWOOOO

CHERS TÉLÉSPECTATEURS, NOUS VENONS D'ASSISTER À UN RETOURNEMENT DE SITUATION !
LES PIZZAS SONT ARRIVÉES !
YOUPI !!
J'AI EU RAISON DE MISER SUR LA FILLE !
DINGUE.

PETIT PANDA, QUE TOUT LE MONDE DONNAIT PERDANTE IL Y A QUELQUES INSTANTS, VIENT DE RENVERSER LA VAPEUR. EN UNE PASSE DE MAIN RAPIDE COMME L'ÉCLAIR, ELLE A LITTÉRALEMENT FAIT VALSER LE FIER ET BEAU WONG FEI LONG.
HÉ CHÉRIE ! VIENS VOIR, Y A UN TRUC DÉLIRANT À LA TÉLÉ !
ALLEZ PETIT PANDA !

INTERROGEONS CET ÉTUDIANT QUI SEMBLE MIEUX COMPRENDRE CE QU'IL SE PASSE.
OUI, EXPLIQUEZ DEVANT LA CAMÉRA CE QU'EST LE FLAMENDO.
MOI ?

EH BIEN... LE FLAMENDO EST UN STYLE DE COMBAT EXCLUSIVEMENT FÉMININ...
SWIIIII...

POUR BIEN COMPRENDRE CET ART, IL FAUT REMONTER À SES ORIGINES. IL A ÉTÉ CRÉÉ PAR UNE FEMME QUI N'AVAIT PAS LE DROIT DE PRATIQUER LA BOXE, CAR DANS SON VILLAGE, SEULS LES HOMMES EN AVAIENT LE PRIVILÈGE.
CHUUUUUUUUUUU

AFIN DE TROMPER LES HOMMES, ELLE DISSIMULA UN ART DU COMBAT SOUS LES ATOURS D'UNE DANSE. AINSI, ELLE PU S'ENTRAINER À LA VUE DE TOUS SANS EN ÊTRE INQUIÉTÉE.
CE STYLE EST TRÈS EXIGEANT, IL FAUT UN SENS DE L'OBSERVATION AIGUISÉ, UNE PRÉCISION CHIRURGICALE ET UN SANG-FROID À TOUTE ÉPREUVE.

MAIS UNE FOIS ASSIMILÉ, LE FLAMENDO PERMET DE DÉVIER LE FLUX D'ÉNERGIE D'UNE ATTAQUE...

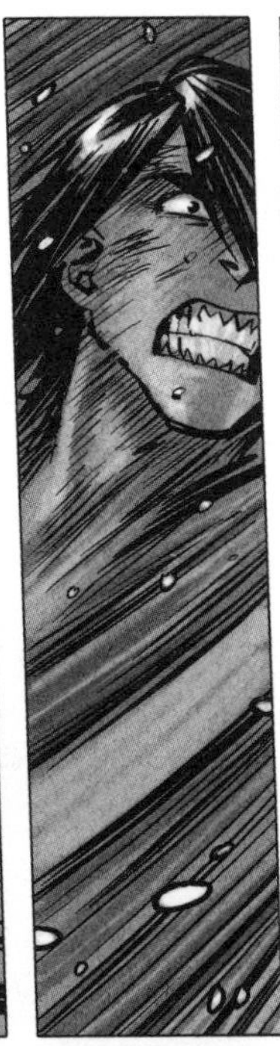

CECI, QUELLE QUE SOIT LA PUISSANCE DE L'ADVERSAIRE.
PAKAM

UNE FOIS MAÎTRISÉ, LE FLAMENDO PERMET DE RETOURNER LA FORCE D'UN ENNEMI CONTRE LUI-MÊME.

PLUS L'ADVERSAIRE EST FORT...

PLUS DURE SERA SA CHUTE.
FWOM!

CETTE FILLE ASSURE À MORT !
ELLE A LA MITCHO CLASS !
ON VA CONSTITUER UN COMITÉ DE SOUTIEN !

Z'ÊTES PRÊTS ?!
OUUAIS !

P'TIT PANDA, TU VAINCRAS !!!

SON COMBAT, C'EST CELUI DE TOUTES LES FEMMES À TRAVERS LE MONDE !
C'EST TOUT UN SYMBOLE !
OUI, ELLE A RAISON !

PETIT PANDA !
PETIT PANDA !
PETIT PANDA !

SHWOOOO

POW!!

?!!

YYYYYIIIAAA!!!!

ELLE VIENT DE PRENDRE UN COUP, POUR UNE RAISON QUI M'ÉCHAPPE ELLE PERD DE SA CONCENTRATION.

J'AI UNE IDÉE ! VOUS N'AVEZ QU'À INVENTER UNE CHANSON AVEC SON VÉRITABLE PRÉNOM !

MON NOM C'EST XIONG MAO !!! C'EST POURTANT PAS BIEN COMPLIQUÉ !
BEUARG

POW!

BO-DUM

AAAÏYEEUUUU...

TU COGNES FORT !
T'ES JAMAIS CONTENTE !

XIONG MAO !
QUI VA SE RELEVER EN PREMIER ? SUSPENSE !

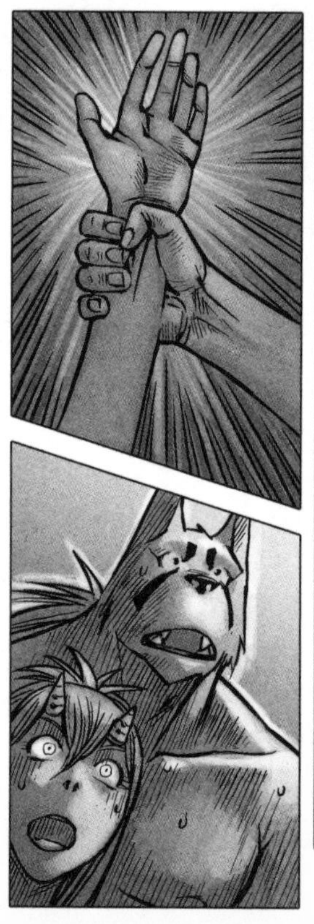

?
WONG FEI LONG VIENS LUI-MÊME DE DÉSIGNER LE VAINQUEUR !

WHEEEEEYY !
CETTE VICTOIRE
TE REVIENT,
XIONG MAO.

SMOUACK
POURQUOI TU
M'EMBRASSES ?

C'EST POUR
CE QUE JE
M'APPRÊTE
À FAIRE.

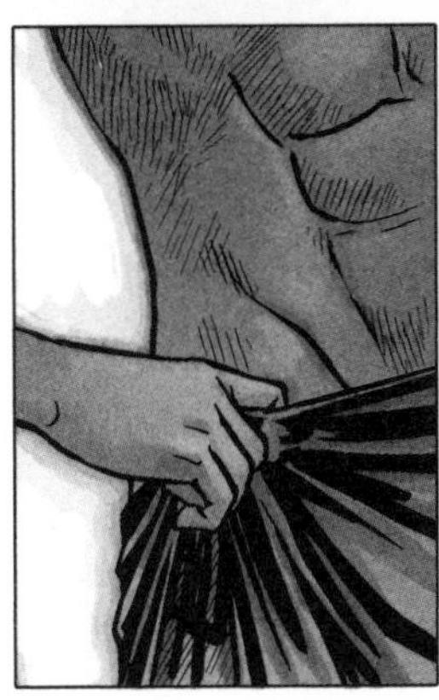

DÉSOLÉE. MAIS MON
ÉQUIPE A ENCORE BESOIN
DE QUELQUES POINTS !
CENSURÉ

BEAU
DRAGON !
ELLE PERD
PAS LE
NORD !
BIEN
JOUÉ !
C'EST ÇA
L'ŒIL DU
TIGRE !

CE COMBAT HOMÉRIQUE VA
CLORE L'ÉMISSION DE CETTE
SEMAINE. JE RENDS L'ANTENNE,
À VOUS LES STUDIOS !

AUX DERNIÈRES NOUVELLES, UNE CRÉATURE DE CLASSE "A" A EMERGÉ DES ÉGOUTS DE PARIS POUR ATTAQUER LA POPULATION. L'ARMÉE A TENTÉ EN VAIN DE LA NEUTRALISER. LE BILAN PROVISOIRE FAIT ÉTAT DE TROIS MORTS ET NEUF BLESSÉS GRAVES DONT CERTAINS SONT DANS UN ÉTAT CRITIQUE.

LE SEUL HÉROS QUI SE SOIT PRÉSENTÉ SUR LES LIEUX DU DRAME EST UN JEUNE HOMME EN CHAISE ROULANTE.

SON FAUTEUIL S'EST MÉTAMORPHOSÉ DEVANT NOS CAMÉRAS. LE GUET DES ORFÈVRES A OUVERT UNE ENQUÊTE SUR CET INCONNU QUI N'EST RÉPERTORIÉ DANS AUCUNE LIGUE. À L'HEURE QU'IL EST, ON NE SAIT PAS OÙ IL SE TROUVE NI MÊME S'IL EST ENCORE EN VIE.

DANS UN REGISTRE PLUS LÉGER, VOUS AVEZ ÉTÉ DES MILLIONS DE TÉLÉSPECTATEURS À SUIVRE L'ÉMISSION HERO ACADEMY...

LA PETITE CHAÎNE WK9 ENREGISTRE UN RECORD D'AUDIENCE. C'EST AUSSI UNE BONNE OPÉRATION POUR LA F.E.A.H. QUI VOIT SA POPULARITÉ AUGMENTER, LA FAISANT ENTRER DANS LE TOP 10 DES ÉCOLES DE HÉROS LES PLUS CONNUES. LA SEULE PERDANTE DANS L'HISTOIRE EST LA STATION BALNÉAIRE THÉÂTRE DE L'ÉMISSION QUI A ÉTÉ DÉVASTÉE PAR L'ENTHOUSIASME DES JEUNES HÉROS.
EXCELLENT !
ET MAINTENANT ?

MAINTENANT, NOUS ALLONS PASSER À LA PROCHAINE ÉTAPE DE MON PLAN...
LES VIDÉOS LES PLUS CROUSTILLANTES CIRCULENT DÉJÀ SUR INTERNET.

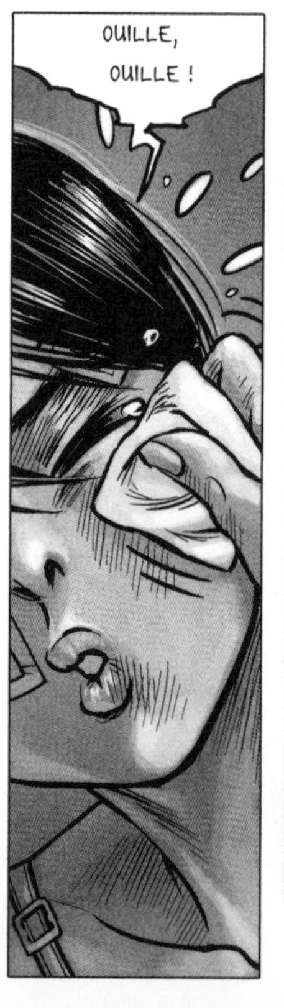
OUILLE, OUILLE !

VOUS POURRIEZ Y ALLER PLUS DÉLICATEMENT ? J'AI LA TÊTE EN COMPOTE !
NAVRÉE, MAIS...

JE DOIS FAIRE VITE... IL Y A DU MONDE QUI ATTEND.
AAÏE...
MAMAN...
AAUGH !
SQUEFL
...

ENCORE BRAVO PETIT PANDA !
C'EST GRÂCE À TOI SI ON A UNE SUPER NOTE !

ENTRE TON KUNG-FU ET OMBRE, PLUS PERSONNE N'A OSÉ S'ATTAQUER À MOI PAR LA SUITE...
DU COUP, ON S'EN TIRE AVEC UN 24/20, C'EST LA CLASSE !
PARFAIT ! COMME ÇA, NOTRE MOYENNE PASSE DE CATASTROPHIQUE À MÉDIOCRE.

T'ES DU GENRE À VOIR LE VERRE À MOITIÉ VIDE.
FEI LONG.
J'AVAIS UNE DERNIÈRE CHOSE À TE DIRE.

TU VEUX ENCORE ME METTRE EN GARDE CONTRE LE SYNDIC' ?
MMM... L'IDÉE M'A TRAVERSÉ L'ESPRIT...

EN FAIT, JE SUIS VENU T'INVITER À DÎNER. JE CONNAIS UNE BONNE ADRESSE EN VILLE.
TING

...
...

JE VAIS CONSULTER MON EMPLOI DU TEMPS. À PLUS, WONG FEI LONG !
À BIENTÔT LI XIONG MAO.

ON PEUT ALLER MANGER UN BOUT À LA K-FÊTE POUR FÊTER NOTRE VICTOIRE !
OUI, BONNE IDÉE !

666
J'EN AI POUR UNE MINUTE.

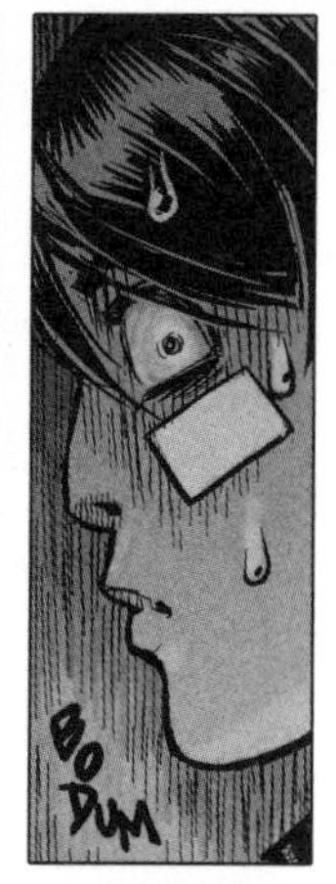
BO
DUM

OH ! C'EST QUOI CE BOXON ! VOUS AVEZ DÉJÀ FAIT LA FÊTE ?!!

SI ÇA TE DÉRANGE QU'ON S'AMUSE, IL FAUT LE DIRE, SALE FASCISTE !

OUI, ÇA ME DÉRANGE, LORSQUE VOUS ORGANISEZ VOS SAUTERIES ET QUE VOUS DÉGUEULASSEZ MON LIT !

QUE ?

MA PHOTO !!!
QUI L'A MISE DANS CET ÉTAT ?
ON PEUT T'AIDER ?
AH ÇA ? ON S'EN EST SERVI COMME SOUS-VERRE...
CRISH

PUIS QUELQU'UN A TRÉBUCHÉ... CASSÉ POUR CASSÉ, IL A SERVI DE CENDRIER.
CLEC

DEBOUT !
HÉ ! J'AI PERDU MA PAGE !

EUH... XIONG MAO. TU VAS PAS FAIRE DE BÊTISES ?
ON EST CALME...
MAIS JE SUIS TRÈS CALME. ON VA ALLER VOIR LES AUTORITÉS POUR QUE CETTE CHAMBRE SOIT DÉBARASSÉE DE SES PARASITES.
TAP TAP
SI QUELQU'UN DOIT DÉGAGER D'ICI, ÇA SERA TOI CHÉRIE. TU OUBLIES MES RELATIONS ?

FAIS-TOI UNE RAISON. TU N'AS AUCUN POUVOIR DANS CE BAHUT.

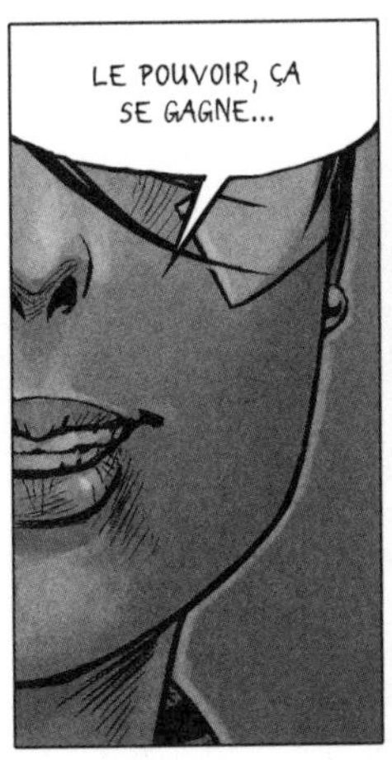
LE POUVOIR, ÇA SE GAGNE...

NON ! XIONG MAO !!
VLAM
BONK

MESDEMOISELLES ! RÉALISEZ-VOUS QUE VOUS ME METTEZ DANS UNE SITUATION TRÈS DÉLICATE ?
QUELLE IMAGE DÉPLORABLE VOUS DONNEZ DE NOTRE ÉCOLE !

JE VAIS DEVOIR RECOURIR À DES SANCTIONS DISCIPLINAIRES !

AMANITE, VOUS POUVEZ DISPOSER. AYEZ L'AMABILITÉ DE FERMER LA PORTE DERRIÈRE VOUS.

BYE BYE CHÉRIE !

CLAC

À NOUS DEUX MAINTENANT...
CRUUU
VOUS SAVEZ QUE VOUS ME POSEZ UN PROBLÈME ?
OUI.
ENFIN... JE VEUX DIRE QUE J'EN SUIS DÉSOLÉE.

VOUS SAVIEZ TRÈS BIEN QUE VOUS AGRESSIEZ LA FILLE DE NOTRE PLUS GROS ACTIONNAIRE ?
VOUS M'OBLIGEZ À SÉVIR POUR FAIRE BONNE FIGURE.
CE QUI ME DONNE DES RIDES DE CONTRARIÉTÉ ET JE DÉTESTE ÇA...

IL SERAIT FORT DOMMAGE POUR L'ÉCOLE QUE L'UNE DE NOS MEILLEURES RECRUES SOIT RENVOYÉE...

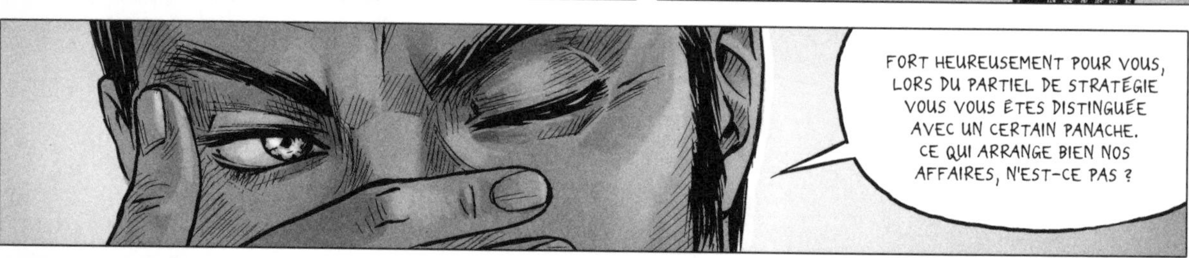
FORT HEUREUSEMENT POUR VOUS, LORS DU PARTIEL DE STRATÉGIE VOUS VOUS ÊTES DISTINGUÉE AVEC UN CERTAIN PANACHE. CE QUI ARRANGE BIEN NOS AFFAIRES, N'EST-CE PAS ?

ALORS ?
QU'EST-CE QUE LE DIRECTEUR A DIT ?
JE SUIS EXPULSÉE DU CAMPUS, JE VAIS DEVOIR ME TROUVER UN NOUVEAU LOGEMENT.

ET...

ET C'EST TOUT, JE RESTE À LA FAC.
C'EST... C'EST SUPER !
J'AI EU LA TROUILLE POUR TOI !

WHOAAAA !
DOUCEMENT !
OUAIS !
TU RESTES
AVEC NOUS !!!
C'EST TROP
DE BONHEUR !

Qui sont ces trois inconnus qui ne manquent pas de squeele ?
Qu'est-ce que le manchot fait dans l'école la nuit ?
Quelles folles aventures attendent nos héros ?
Changelin verra-t-il enfin Chance toute nue ?

Vous le saurez en lisant la suite de Freaks' Squeele :

"Les chevaliers qui font Ní"

DES BONUS À VOUS COUPER LE SQUEELE !
F.

Le Squeele... mais c'est quoi au juste ?

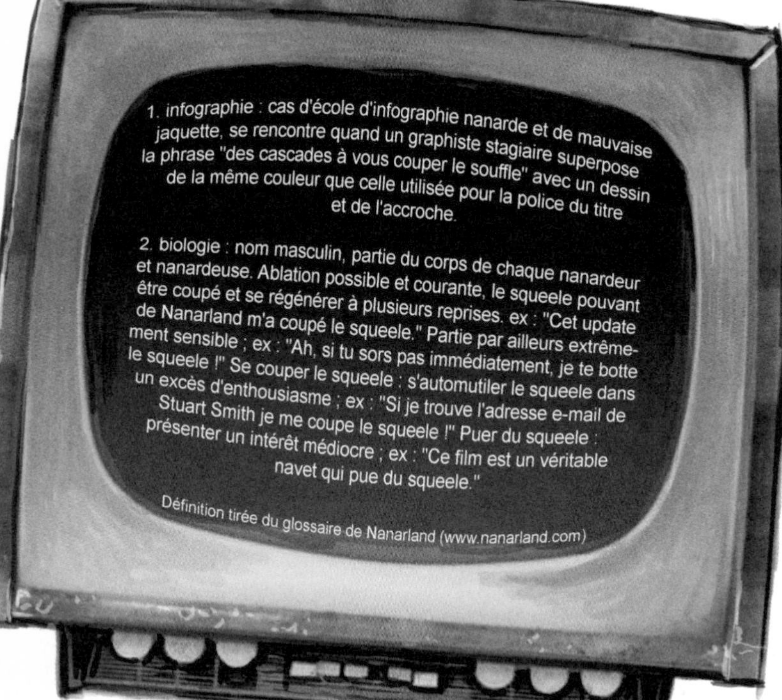

1. infographie : cas d'école d'infographie nanarde et de mauvaise jaquette, se rencontre quand un graphiste stagiaire superpose la phrase "des cascades à vous couper le souffle" avec un dessin de la même couleur que celle utilisée pour la police du titre et de l'accroche.

2. biologie : nom masculin, partie du corps de chaque nanardeur et nanardeuse. Ablation possible et courante, le squeele pouvant être coupé et se régénérer à plusieurs reprises. ex : "Cet update de Nanarland m'a coupé le squeele." Partie par ailleurs extrêmement sensible ; ex : "Ah, si tu sors pas immédiatement, je te botte le squeele !" Se couper le squeele : s'automutiler le squeele dans un excès d'enthousiasme ; ex : "Si je trouve l'adresse e-mail de Stuart Smith je me coupe le squeele !" Puer du squeele : présenter un intérêt médiocre ; ex : "Ce film est un véritable navet qui pue du squeele."

Définition tirée du glossaire de Nanarland (www.nanarland.com)

L'accroche : nanardeur, gare à ton squeele !

L'objet du délit : "Stargrove et Danja, agents exécutifs", un film de drag-queen avec Gene Simmons, le bassiste de K

SHATANE

T'ES PAS FRANC, EINSTEIN!

3 F - n. 3

L'ARISTOCHA

est une gastronhom
Profitez de ses exc
de sa gourmandise
prendre avec elle d
plaisirs raffinés
sans oublier de sour

EF

LE NANAR SE DÉCLINE AUSSI EN B.D. CHEZ ELVIFRANCE. DES FEMMES, DES JEUX DE MOTS DÉBILES ET DES SITUATIONS GROTESQUES*.

EF POPCOMIX

J'AI OUBLIÉ DE VOUS PARLER DE MA PASSION POUR *MICKEY PARADE*, ÉTANT JEUNE.

Lors de mes recherches sur le squeele, j'ai pu avoir l'avis éclairé d'un expert en la matière : Le Rôdeur (Max Thayer lui doit tout) chroniqueur sur le site Nanarland, le site des mauvais films sympathiques.
Voilà ce qu'il a pu m'apprendre (à propos de la phrase "pig's squeele" trouvée sur le net) :

Il n'a pas de signification en anglais car il n'existe simplement pas, c'est une mauvaise orthographe de "pig's squeal", *to squeal* voulant dire grouiner, crier comme un cochon (plutôt comme une truie qu'on saigne) et au sens figuré, brailler, geindre, etc.

En argot de la pègre, *to squeal* veut dire "trahir ses partenaires". Ça vient du fait que la punition réservée aux "balances " et à ceux qui "causaient" dans certains milieux mafieux était qu'on leur coupait un doigt avec un couteau, sans anesthésie; ça faisait très très mal, d'où leur surnoms de "hurleurs", *squealers*. Un ex-mafieux avec un doigt coupé portait la "squealer's mark", la marque des traîtres.

En français, le squeele désigne un objet, un être vivant, un organe ou un concept, aussi bien que son absence. Généralement de consistance dure à molle voire gazeuse, il peut affecter une forme concave à ovoïde en passant par toutes les formes possibles.
Creux ou plein (ou semi-creux) et généralement tridimensionnel bien qu'il en existe à deux dimensions ou une seule ou à quatre et plus, le squeele possède en outre une odeur caractéristique qui peut être agréable ou nauséabonde, voire neutre.
La couleur importe peu, bien qu'il puisse être jaune mais pas tout le temps.

Je tiens à m'excuser auprès des lecteurs ainsi qu'auprès des forumistes de Nanarland et B.D. Trash pour l'infâme gloubiboulga que représente cette page.

* CERTAINES MAUVAISES LANGUES DIRONT QUE ÇA DÉCRIT AUSSI BIEN LE CONTENU DE *FREAKS' SQUEELE*... OU DE *CHAOSLAND*.

BONUS MANJI
Croquis en tout genre
BONUS PIN UP
BONUS THE BLADE
RIP
Tranche de SQUEELE

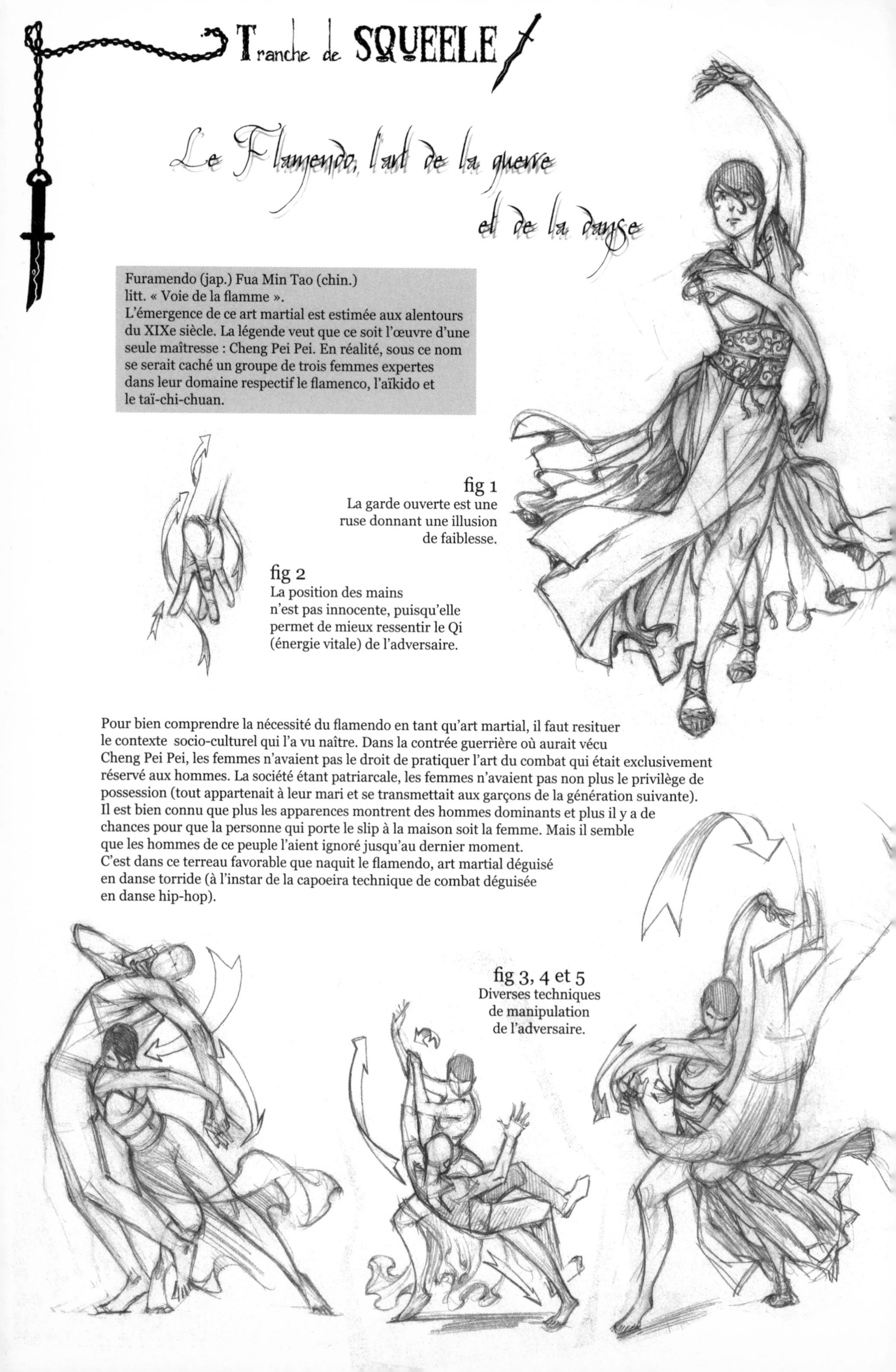

Le Flamendo, l'art de la guerre et de la danse

Furamendo (jap.) Fua Min Tao (chin.)
litt. « Voie de la flamme ».
L'émergence de ce art martial est estimée aux alentours du XIXe siècle. La légende veut que ce soit l'œuvre d'une seule maîtresse : Cheng Pei Pei. En réalité, sous ce nom se serait caché un groupe de trois femmes expertes dans leur domaine respectif le flamenco, l'aïkido et le taï-chi-chuan.

fig 1
La garde ouverte est une ruse donnant une illusion de faiblesse.

fig 2
La position des mains n'est pas innocente, puisqu'elle permet de mieux ressentir le Qi (énergie vitale) de l'adversaire.

Pour bien comprendre la nécessité du flamendo en tant qu'art martial, il faut resituer le contexte socio-culturel qui l'a vu naître. Dans la contrée guerrière où aurait vécu Cheng Pei Pei, les femmes n'avaient pas le droit de pratiquer l'art du combat qui était exclusivement réservé aux hommes. La société étant patriarcale, les femmes n'avaient pas non plus le privilège de possession (tout appartenait à leur mari et se transmettait aux garçons de la génération suivante).
Il est bien connu que plus les apparences montrent des hommes dominants et plus il y a de chances pour que la personne qui porte le slip à la maison soit la femme. Mais il semble que les hommes de ce peuple l'aient ignoré jusqu'au dernier moment.
C'est dans ce terreau favorable que naquit le flamendo, art martial déguisé en danse torride (à l'instar de la capoeira technique de combat déguisée en danse hip-hop).

fig 3, 4 et 5
Diverses techniques de manipulation de l'adversaire.

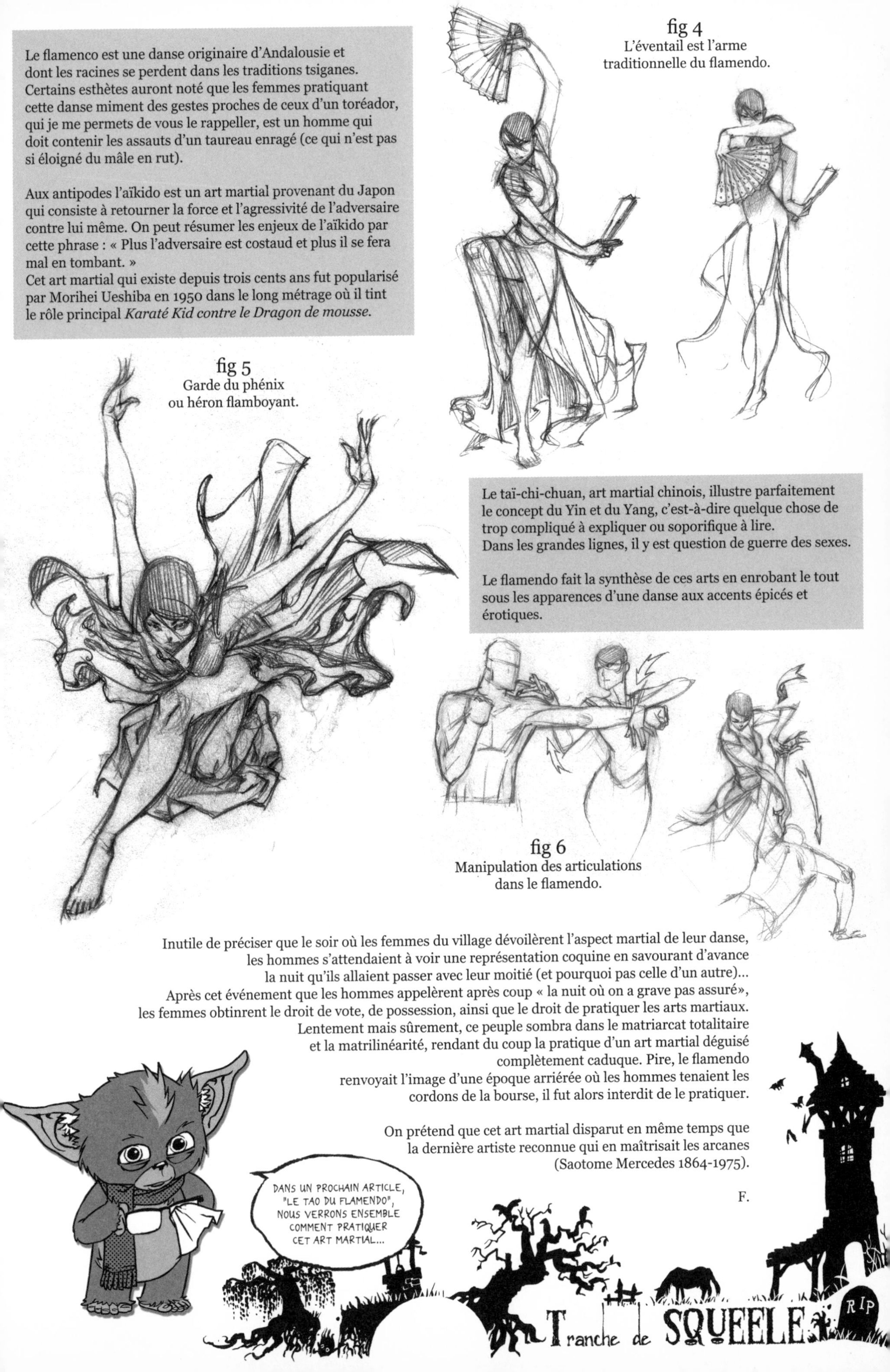

Le flamenco est une danse originaire d'Andalousie et dont les racines se perdent dans les traditions tsiganes. Certains esthètes auront noté que les femmes pratiquant cette danse miment des gestes proches de ceux d'un toréador, qui je me permets de vous le rappeller, est un homme qui doit contenir les assauts d'un taureau enragé (ce qui n'est pas si éloigné du mâle en rut).

Aux antipodes l'aïkido est un art martial provenant du Japon qui consiste à retourner la force et l'agressivité de l'adversaire contre lui même. On peut résumer les enjeux de l'aïkido par cette phrase : « Plus l'adversaire est costaud et plus il se fera mal en tombant. »
Cet art martial qui existe depuis trois cents ans fut popularisé par Morihei Ueshiba en 1950 dans le long métrage où il tint le rôle principal *Karaté Kid contre le Dragon de mousse*.

fig 4
L'éventail est l'arme traditionnelle du flamendo.

fig 5
Garde du phénix ou héron flamboyant.

Le taï-chi-chuan, art martial chinois, illustre parfaitement le concept du Yin et du Yang, c'est-à-dire quelque chose de trop compliqué à expliquer ou soporifique à lire.
Dans les grandes lignes, il y est question de guerre des sexes.

Le flamendo fait la synthèse de ces arts en enrobant le tout sous les apparences d'une danse aux accents épicés et érotiques.

fig 6
Manipulation des articulations dans le flamendo.

Inutile de préciser que le soir où les femmes du village dévoilèrent l'aspect martial de leur danse, les hommes s'attendaient à voir une représentation coquine en savourant d'avance la nuit qu'ils allaient passer avec leur moitié (et pourquoi pas celle d'un autre)...
Après cet événement que les hommes appelèrent après coup « la nuit où on a grave pas assuré », les femmes obtinrent le droit de vote, de possession, ainsi que le droit de pratiquer les arts martiaux.
Lentement mais sûrement, ce peuple sombra dans le matriarcat totalitaire et la matrilinéarité, rendant du coup la pratique d'un art martial déguisé complètement caduque. Pire, le flamendo renvoyait l'image d'une époque arriérée où les hommes tenaient les cordons de la bourse, il fut alors interdit de le pratiquer.

On prétend que cet art martial disparut en même temps que la dernière artiste reconnue qui en maîtrisait les arcanes (Saotome Mercedes 1864-1975).

F.

LE CAHIER DE L'ANGOISSE

LORSQUE JE TRAVAILLAIS DANS L'ILLUSTRATION, J'AI TENU UN CAHIER DANS LEQUEL J'AI CRAYONNÉ UNE B.D. QUI DEVIENDRA PLUS TARD L'OUVRAGE QUE VOUS TENEZ ENTRE VOS MAINS. J'AI RÉALISÉ UN PEU PLUS DE DEUX CENTS PLANCHES ET J'IMAGINAIS BIEN UN FORMAT POCHE, D'OÙ LA TAILLE DES PAGES ET LE NOMBRE DE CASES RELATIVEMENT FAIBLE.

LORSQU'ON M'A PROPOSÉ DE RÉALISER *FREAKS' SQUEELE* EN GRAND SUR CENT TRENTE PAGES, J'AI DÛ TOUT RÉÉCRIRE POUR QUE LE RÉCIT ÉPOUSE MIEUX LE FORMAT. IL EN RÉSULTE UN GRAND NOMBRE DE MODIFICATIONS SCÉNARISTIQUES, J'EN AI AUSSI PROFITÉ POUR AFFINER CERTAINS PERSONNAGES.

VOILÀ UN ÉCHANTILLON DE CE CAHIER.

F.

TU LIS DANS MES PENSÉES
TIENS VOILÀ LE PAIEMENT. VÉRIFIE QUE TOUT EST EN ORDRE.
MERCI.
C'EST EN ANCIENS FRANCS ?
IL A L'AIR HEUREUX !
NON EN EUROS..!
EN EUROS ?!
HOOOO...
MON CHÈQUE
CETTE SCÈNE AVEC SABLON A DISPARU, ON EN APPRENAIT D'AVANTAGE SUR XIONG MAO ET SA PASSION DE LA FORGE.
UNE AUTRE DEMOISELLE NE TROUVANT PAS LE SOMMEIL...
KANG
LAISSE MOI TOUCHER CETTE MERVEILLE...
C'EST MAGNIFIQUE !
VOILÀ UNE JOLIE SOMME !
BONJOUR.
C'EST DANS LE RÈGLEMENT INTÉRIEUR QU'ON A TOUS SIGNÉ À LA RENTRÉE...
TRÈS BIEN ! QU'EST CE QUE TU VAS ME DEMANDER EN ÉCHANGE DE TON SILENCE ?
IL ME RESTERA TRÈS EXACTEMENT 4 999,95 EUROS !
HOOO !
MAIS POUR EN AVOIR LE COEUR NET JE TE LANCE UN DÉFI !
LA SUITE EST UN PEU TROP CAPILOTRACTÉE... POUR CEUX QUI AIMENT BIEN SABLON, ON LE VERRA PLUS SOUVENT DANS LE PROCHAIN ÉPISODE.
SI TU CONTINUES À FAIRE MIEUX QUE MOI À LA PROCHAINE ÉVALUATION DE "STRATÉGIE", JE NE DIRAI RIEN À PERSONNE QUANT À TES REVENUS. C'EST HONNÊTE COMME PROPOSITION N'EST-CE PAS ?
XIONG MAO ? JE PASSE UNE AUTRE COMMANDE... C'EST POUR UN YATAGAN DE 24 POUCES. COMME TON WOOTZ EST PARFAIT J'AI DÉCIDÉ DE SAUTER LE PAS... POUR LE PAIEMENT ON VA DIRE 35 000€ VU LA LONGUEUR DE LA LAME...

MOI, JE LE TROUVE TOUCHANT.
BIEN ! LA LEÇON EST TERMINÉE POUR AUJOURD'HUI ! MAIS NE PARTEZ PAS TROP VITE, JE DOIS VOUS COMMUNIQUER LES RÉSULTATS DE L'ÉVALUATION DE STRATÉGIE
LA SCÈNE RACONTÉE DANS CES TROIS DERNIÈRES PLANCHES N'A PAS PU ÊTRE INSÉRÉE DANS LE RÉCIT. ELLE AURAIT BRISÉ LE RYTHME DES DERNIÈRES PAGES ET DE TOUTE MANIÈRE, IL NE ME RESTAIT PLUS BEAUCOUP DE PLACE POUR LA CASER.
EN PLUS D'AVOIR EU LA MEILLEURE NOTE AU CONTRÔLE.
VOUS POUVEZ OUVRIR VOS LETTRES, MAIS CONSERVEZ-LES PRÉCIEUSEMENT POUR UNE PROCHAINE LEÇON SUR L'IMAGE MÉDIATIQUE OU "COMMENT ÊTES-VOUS PERÇU PAR LE PUBLIC."
ÉVIDEMMENT APRÈS VOTRE COUP D'ÉCLAT, C'EST VOUS MADEMOISELLE LI QUI AVEZ REÇU LE PLUS DE COURRIER
VOUS ÊTES SÛRES QUE C'EST UNE FILLE QUI A ÉCRIT ÇA ?
J'ESPÈRE QUE PERSONNE N'A ENTENDU ...
BON, J'EN OUVRE UNE AUTRE ...
ATTENDEZ, CE N'EST PAS FINI ...
WHOA ! MOI J'AI QU'UNE SEULE LETTRE !
OUVRES-EN UNE ! VITE !
OUI, SOIS CHIC ! LIS NOUS EN UN PEU.
UN DESSIN ?...
Bonjour mademoiselle Li Xiong Mao
Voilà un petit dessin lol !
Je crois que je suis tombée amoureuse lol lol !
Kikou Bise !
Lucie
MA PREMIÈRE LETTRE DE FAN !
HUM ! HUM !
"CHÈRE LI XIONG MAO, TU AS ÉTÉ FANTASTIQUE PENDANT LE COMBAT ! TA GRÂCE ET TA BEAUTÉ ÉVEILLENT EN MOI UNE ADMIRATION SANS BORNES AINSI QU'...
PEUT-ÊTRE QU'UN JOUR ON POURRA ÉDITER CES CRAYONNÉS QUI REPRÉSENTENT UNE VÉRITABLE HISTOIRE ALTERNATIVE.

Tranche de SQUEELE

Classification des monstres, l'échelle d'Eisenmann

Les zoocryptologues ainsi que les tératologues utilisent une même échelle afin de classer les monstres et autres créatures, sujets de leurs études. C'est le professeur Oliver C. Eisenmann qui en posa les principes au XIXe siècle. De nos jours cette échelle est toujours en vigueur.

Monstres de classe "A"

Géants destructeurs, ducs des Enfers, dragons et autres hydres. Les monstres de cette classe sont des plus dangereux, les humains ne peuvent strictement rien contre de tels adversaires et seuls les plus aguéris des héros peuvent les vaincre. De tels exploits sont fondateurs de mythes et légendes diverses de part le monde.

Monstres de classe "B"

A petite échelle, ces monstres peuvent se montrer destructeurs. Il convient de les prendre au sérieux, les hommes peuvent en venir à bout pourvu qu'ils soient organisés. Aussi c'est bien souvent l'armée ou le FBI qui ont la charge d'éradiquer de telles créatures.

Monstres de classe "Z"

Eisenmann a cru bon de sauter les lettres de l'alphabet pour passer directement à la dernière, tellement les monstres de cette classe sont ridicules. A la physionomie plus que grotesque, ils sont communément appelés "craignos monster", leur pouvoir de nuisance nécessite cependant de les exterminer afin d'en éviter la prolifération.

Tranche de SQUEELE
ESSAI DE COUVERTURE ABANDONNE
VALKYRIE
- Origine : puissante tribu d'amazones d'Europe du Nord.
- Carac : - super balèze
- naïve
→ Info utile : rêve de devenir une Magical Girl ! Elle s'est même fabriqué un costume
(révélé par Changelin)
CHANGELIN
→ Facile à cuisiner
- Carac : change d'apparence à volonté mais revient à sa forme initiale quand il a épuisé son énergie.
→ Info utiles :
- c'est un garçon !
- a révélé des infos sur Amanite et Valkyrie en échange de mon silence
AMANITE DU FIEL
Méchante !
- fille du plus gros actionnaire de la FEAH
- Carac : - invoque les golems
- manipule les autres
→ Info utile : fait des cures de vers solitaires pour rester min
(révélé par Changelin)
SABLON
- Origine : Barbare Berbère du Sahara ?
→ A fréquenter : il a toujours réponse à tout !
- Bizarre : il se maquille.
- Carac : - intelligent
- balèze
- Info utile : j'ai vu son visag
WONG FEI LONG
je crois que c'est son prénom
- Yakuza de la mafia chinoise
Larbin du père de Xiong Mao ?
→ À surveiller : il veut ramener Xiong Mao en Chine.
- Carac : - tatouage vivant super puissant !
→ A cuisiner pour en savoir plus sur Xiong Mao
PREMIER TEST DE RENDU À AVOIR ÉTÉ VALIDÉ !
RENDU PEINTURE RATÉ
TEST DE COUV', ABANDONNE PUIS REFAIT PUIS REABANDONNE.

Du fond du coeur je remercie et dédie ce livre à :
Nathalie mon premier directeur artistique, mon second public et mon Tout,
pour m'avoir soutenu, supporté (dans tous les sens du terme) et inspiré dans ce projet.
Tot pour son énergie et son enthousiasme sans limite (sa gentillesse aussi, mais ne lui dites pas trop).
Run pour avoir ouvert la voie à grands coups d'intégrité, d'exigence et de générosité.
Ma famille et mon frère, j'aurais aimé être plus souvent là.
La famille Tan pour m'avoir accueilli comme un fils et comme un frère.
Capitaine Perrine "le Munken c'est le top" qui a fait de ce vulgaire livre un objet de collection.
Merci aussi à :
DorO, Alix et tous ceux qui ont travaillé de près ou de loin sur cette BD.
Toute l'équipe d'Ankama qui permet par son travail et son succès d'éditer ce genre d'ouvrage.
Kid pour sa tranquillité.

Merci à vous qui tenez cet ouvrage entre vos mains.